Chez papa, chez maman

Une nouvelle vie de famille

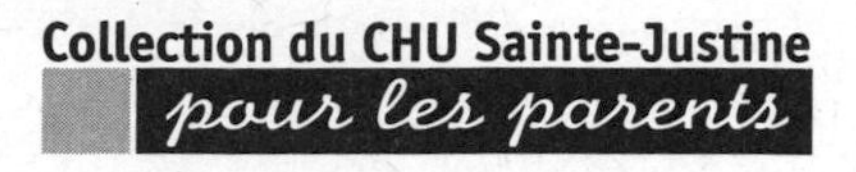

Chez papa, chez maman

Une nouvelle vie de famille

Claudette Guilmaine

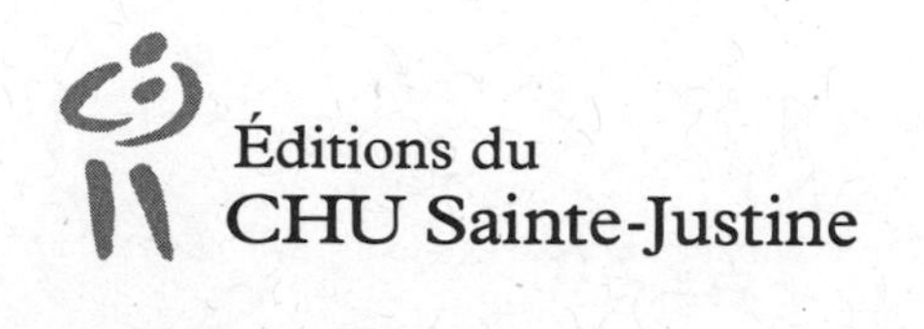

Catalogage avant publication de Bibliothèque et Archives nationales du Québec et Bibliothèque et Archives Canada

Guilmaine, Claudette, 1949-

Chez papa, chez maman : une nouvelle vie de famille
(La Collection du CHU Sainte-Justine pour les parents)
Publ. en collab. avec Éditions du CRAM.
Comprend des réf. bibliogr.
ISBN 978-2-89619-443-8

1. Garde conjointe des enfants. 2. Rôle parental partagé (Divorce). 3. Parents et enfants. I. Titre. II. Collection : Collection du CHU Sainte-Justine pour les parents.

HQ759.915.G842 2011 306.85'6 C2011-941579-8

Illustration de la couverture : Geneviève Côté
Conception graphique : Nicole Tétreault
Photo de l'auteure : René Marquis

Diffusion-Distribution au Québec : Prologue inc.
en France : CEDIF (diffusion) – Daudin (distribution)
en Belgique et au Luxembourg : SDL Caravelle
en Suisse : Servidis S.A.

Éditions du CHU Sainte-Justine
3175, chemin de la Côte-Sainte-Catherine
Montréal (Québec) H3T 1C5
Téléphone : (514) 345-4671
Télécopieur : (514) 345-4631
www.editions-chu-sainte-justine.org

ISBN 978-2-89619-443-8 (imprimé)
ISBN 978-2-89619-444-5 (pdf)

Dépôt légal : Bibliothèque et Archives nationales du Québec, 2011
Bibliothèque et Archives Canada, 2011

Membre de l'Association nationale des éditeurs de livres

À Jean-Claude

À Lilianne, Éloïse et leur petite sœur,

à Nathaniel, Laurent et à tous les enfants de ma vie

Remerciements

Je suis très reconnaissante à tous les parents et les enfants qui m'ont accordé leur confiance dans des moments d'épreuve et à ceux qui ont accepté de partager leurs témoignages au profit d'autres familles. Toutes ces personnes ont enrichi ma vie et mon expérience professionnelle.

C'est grâce à deux maisons d'édition, celle du CRAM et celle du CHU Sainte-Justine, que je peux aujourd'hui réaliser cette nouvelle version de *Vivre une garde partagée, une histoire d'engagement parental,* ouvrage initialement paru en 2009. J'en remercie chaleureusement monsieur Pierre Lavigne et madame Marise Labrecque, les directeurs respectifs de ces maisons, ainsi que madame Marie-Ève Lefebvre, éditrice, pour leur enthousiasme contagieux et leur précieux soutien dans la réalisation de mon troisième livre portant sur ce sujet passionnant et en constante évolution.

L'apport de confrères et consœurs du Québec et d'outre-mer me permet de nouveau d'élargir l'éventail des illustrations de la garde partagée et de profiter de cette riche mosaïque d'avis et d'expertises. Je souhaite remercier sincèrement tous ces collaborateurs.

Un dernier merci à tous mes parents et amis, spécialement à Marguerite et à Bénédicte, qui m'ont offert écoute, conseils et encouragements durant cette « grossesse tardive mais désirée ».

Table des matières

INTRODUCTION

Les multiples visages de la famille

J'ai toujours été touchée par le vécu des parents et des enfants tout au long de ma carrière, soit depuis plus de 30 ans. Je me suis intéressée à la famille « sous toutes ses formes et dans tous ses états » et j'ai constaté que les types de famille sont de plus en plus diversifiés. Nous rencontrons des familles à parent unique par choix, comme lorsqu'un homme ou une femme décide d'adopter en solo, des familles de parents de même sexe, des couples ayant recours à la procréation assistée, des familles élargies incluant plus d'une génération, des familles recomposées sur plusieurs airs différents[1]. Il demeure toutefois que la rupture constitue souvent un passage douloureux. Et les ruptures conjugales sont une réalité de plus en plus présente dans toutes les sociétés modernes. Elles surviennent généralement plus tôt dans la vie des couples et touchent donc davantage de jeunes enfants. Cette traversée entraîne également des conséquences sur l'harmonie future et le bien-être des uns et des autres. Ce qui est alors plus difficile à croire, quoique véridique, c'est que la famille, même si elle change de forme, est toujours vivante après la rupture conjugale puisqu'elle demeure encore la famille de l'enfant.

L'après-rupture

La façon dont les parents se définissent lorsqu'ils se séparent et le respect qu'ils peuvent, ou non, conserver l'un pour l'autre ont des impacts importants sur leur nouvelle vie de famille et sur la manière dont ils composeront avec l'alternance auprès de leur enfant. Pour parler de ce plan parental, j'utiliserai indistinctement les termes « garde partagée » et « résidence alternée », qui sous-entendent un hébergement alterné et une division « paritaire », ceci pour éviter d'alourdir le texte. Je laisse au lecteur le soin de traduire ces termes par l'expression correspondant le mieux à sa réalité culturelle.

Ce livre aurait pu porter le titre de *Parents pour la vie* puisque c'est l'esprit qui l'habite. On peut en effet devenir un ex-époux ou une ex-conjointe, mais jamais un ex-parent. J'ai souvent dit en boutade que le nombre de jours que l'enfant passe avec chaque parent relève jusqu'à un certain point du domaine de la mécanique alors que le plus important, le cœur du projet, c'est l'amour des parents pour leur enfant et la qualité de leur relation avec lui.

J'ai moi-même expérimenté ce type de garde pendant de nombreuses années et, en tant que travailleuse sociale et médiatrice familiale, j'ai accompagné un grand nombre de parents dans l'élaboration ou l'ajustement de leur plan parental. Avec le recul, je ne suis toujours pas une inconditionnelle de cet arrangement. Je ne voudrais pas contribuer à en faire un modèle idéal ou à le romancer, surtout à cette époque où il s'impose presque comme une norme. Par ailleurs, je le considère encore aujourd'hui comme une solution très intéressante qui s'offre parallèlement à la résidence principale avec un parent. C'est la seule manière que les parents ont trouvée, après une séparation, pour maintenir ou établir un engagement égal ou très semblable auprès de leurs enfants, dans une situation qui évite à ces derniers de devoir choisir entre leurs parents et de risquer d'en perdre un. Cet arrangement constitue souvent un beau défi de collaboration.

Le partage du temps n'est toutefois pas garant de la qualité de l'engagement parental. Le parent qui opte pour cette formule se doit d'être aussi responsable que s'il assumait seul le bien-être des enfants tout en étant capable de partager sans crainte majeure cette responsabilité avec l'autre parent, en alternance. Sans contredit, ce choix comporte ses avantages, ses restrictions et ses exigences.

Chaque histoire parentale est unique et la garde partagée a donc, comme la famille, plusieurs visages. Le chercheur Richard Cloutier souligne lui aussi qu'il ne s'agit pas d'une réalité homogène, d'une catégorie fixe[2]. Il est bon de se rappeler que cette modalité ne saurait expliquer à elle seule toutes les difficultés rencontrées par un parent ou un enfant puisqu'une multitude de facteurs colorent chaque expérience. Nous tenterons dans les chapitres qui suivent de mettre en lumière les tenants et aboutissants de ce type de partage afin de mieux en saisir la complexité.

Afin de faciliter la lecture de l'ouvrage, les notes ont été placées à la fin de chaque chapitre.

Ce livre s'adresse à vous...

Le présent ouvrage s'adresse donc surtout à vous, parents d'ici et d'ailleurs désireux de poursuivre votre engagement auprès de vos enfants après une séparation ou un divorce. Il se propose d'être un guide et une source de réflexion afin de vous accompagner dans la recherche incessante du bien-être de vos enfants, par-delà les méandres des émotions postruptures et de la réorganisation familiale. J'espère qu'il vous aidera à faire des choix éclairés, à éviter certains écueils, à dédramatiser certaines circonstances inhérentes à cette modalité, à découvrir de nouveaux outils et, finalement, à trouver vos propres réponses en lien avec le caractère unique de votre situation.

Il s'adresse aussi à vous, intervenants qui êtes amenés à accompagner ou conseiller les parents ou les enfants dans des périodes difficiles ou lors des remises en question du plan parental.

Malgré notre unicité, nous sommes tous faits de la même fibre, cette trame universelle des sentiments humains. C'est pourquoi chacun peut puiser dans la vie des autres matière à se reconnaître et à se rassurer. Comme le chante joliment Francis Cabrel : « Nous sommes tous des hommes pareils. »

Notes

1. Marie-Christine SAINT-JACQUES et Claudine PARENT. *La famille recomposée : une famille composée sur un air différent.* Montréal : Éditions de l'Hôpital Sainte-Justine, 2002.
2. Richard CLOUTIER. « La famille séparée demeure la famille de l'enfant ». *Santé mentale au Québec* 2008 33 (1) : 197-202.

Chapitre 1

Ici et ailleurs, des réalités qui se ressemblent

Bien qu'il n'y ait pas actuellement de loi instaurant une présomption favorable à cette modalité de garde au Canada[1], la loi sur le divorce confirme que les parents continuent d'exercer conjointement l'autorité parentale après leur divorce. Encore aujourd'hui, l'esprit de la loi favorise **le maintien et la reconnaissance de la responsabilité et des devoirs des deux parents envers l'enfant.** Du côté du droit civil québécois, l'autorité parentale est aussi confiée aux deux parents et leur séparation ne vient pas interférer avec leur pouvoir de prendre ensemble les décisions importantes concernant l'éducation, la santé, la sécurité, la subsistance et le bien-être de l'enfant. Si l'on ajoute au partage des décisions celui du temps, qui tend également vers l'égalité, soit 40 % et plus par parent, il se dessine une modalité dite « de garde partagée ».

Au Québec, l'appellation « garde partagée » est encore la formulation la plus répandue pour identifier la résidence de l'enfant en alternance chez chacun de ses parents. Le pourcentage de ce type de garde y est d'ailleurs plus élevé[2] que dans les autres provinces canadiennes et la garde partagée y est aussi plus durable. Les termes « garde » et « garde partagée », issus du système adverse, sont probablement appelés à disparaître, comme dans plusieurs pays (Angleterre, Écosse, Australie) où la nouvelle terminologie met l'accent sur la « responsabilité parentale partagée ». En

Belgique, on utilise le terme « hébergement égalitaire » alors qu'en France et en Suisse, ce sont surtout les expressions « hébergement alterné » ou « résidence alternée (paritaire ou non) » qui ont cours. Bien que les appellations varient un peu d'un pays à l'autre, les réalités vécues par les parents telles que traduites par les chercheurs et les médiateurs semblent se recouper.

La garde partagée/résidence alternée, plus qu'un phénomène éphémère ?

Au début des années 1980, j'ai été invitée par le Réseau d'appui aux familles monoparentales de l'Estrie (RAME) à parler pour la première fois de la résidence alternée à un groupe de femmes séparées. Cet organisme populaire était alors fréquenté presque exclusivement par des femmes dont plusieurs auraient bien apprécié être davantage secondées par le père de leurs enfants. Je ressentais un certain malaise à présenter les avantages de cette formule qui paraissait alors inaccessible à la plupart d'entre elles. Si cet organisme s'adresse aujourd'hui autant aux hommes qu'aux femmes, qu'il parle de coparentalité autant que de monoparentalité et qu'il inclut les familles recomposées dans son appellation tout comme dans ses activités, c'est que le contexte social a bien évolué.

Les parents que j'ai interviewés en 1989 dans le cadre d'une recherche exploratoire sur la garde partagée faisaient œuvre de pionniers. Outre les articles scientifiques, il y avait peu d'écrits sur le sujet. À la parution de mon livre *La garde partagée, un heureux compromis*, en 1991, certains doutaient que ce concept traverse un jour l'océan. Nous savons aujourd'hui que le courant de fond était beaucoup plus puissant que l'estimation que nous en faisions. Depuis, j'ai eu la chance d'échanger avec des médiatrices et des formatrices de quelques pays et de constater que la coparentalité postrupture est largement répandue et que des législations ont été modifiées pour la favoriser[3]. Ce courant semble également être soutenu par le mouvement actuel de recherche d'égalité hommes-femmes[4].

Cependant, cette tendance, qu'on dit « irréversible », ne s'est pas développée sans un questionnement parfois ardu des rôles, tant à l'extérieur qu'à l'intérieur de la famille. Davantage présentes sur le marché du travail sans nécessairement profiter d'une redistribution des tâches ménagères et parentales, certaines femmes ont l'impression d'avoir « gagné du travail en plus ». Et ce sentiment de surcharge peut demeurer malgré une résidence alternée[5]. Des progrès importants ont pourtant été réalisés depuis 20 ans. La garde était alors presque automatiquement accordée à la mère et on déplorait après quelque temps que les mères soient exténuées et les pères, absents de la vie de leurs enfants. Parmi ceux qui désiraient s'engager, certains pères manquaient de confiance en eux dans leurs nouvelles attributions. Le modèle traditionnel les y avait peu préparés. On constate maintenant au Québec, en France et en Angleterre l'impact positif des congés parentaux des pères sur la création du lien d'attachement avec l'enfant[6]. Et ce lien précoce est de nature à nourrir l'engagement.

On reconnaît davantage aujourd'hui l'importance de la présence et de l'engagement paternels. On assiste aussi à l'émergence de pères plus proches affectivement de leurs enfants et dont le rôle dépasse grandement celui de pourvoyeur qu'assumait auparavant leur père ou leur grand-père. Comme nous le verrons, il y a des avantages indéniables à cette présence de qualité auprès des enfants et au partage des responsabilités parentales. Dans ce sens, la résidence alternée constitue sûrement beaucoup plus qu'un phénomène éphémère.

Il faut toutefois rester prudent puisque le partage égalitaire du temps et des responsabilités parentales postruptures demeure, somme toute, assez récent. La recherche nous aide à garder une position nuancée, surtout lorsqu'il est question de très jeunes enfants ou de situations conflictuelles, et la réflexion doit se poursuivre. Reconnaître la pertinence de ce mode de garde ne signifie pas qu'il faille l'imposer dans toutes les situations. Cette présomption automatique de partage 50 %-50 % est actuellement réclamée par des groupes de pères militants de différents pays. Quand on adopte cette législation, ce sont les parents qui doivent, s'ils désirent une autre modalité de garde, démontrer que cette formule n'est pas à l'avantage de l'enfant. Or, la Californie, premier État américain à instaurer la présomption favorable à la résidence alternée en 1979, a rebroussé chemin après quelques années, tout comme d'autres États, pour privilégier par la suite le cas par cas. En Belgique et en France, des « bémols » sont aussi apportés dans le même sens.

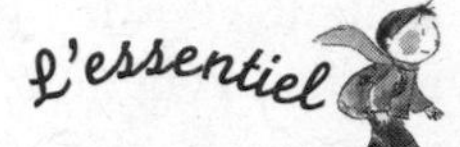

La garde partagée est une formule très pertinente appelée à rester, mais qui, selon plusieurs, gagne à ne pas être imposée sans nuance.

La coparentalité pré et postrupture : mythes et réalités

Au cours des dernières années, des parents insatisfaits de cette modalité de partage (et j'oserais dire, plus fréquemment des mères) sont venus me consulter afin d'être accompagnés de façon objective dans leur réflexion. J'ai constaté qu'une source importante des frustrations maternelles émanait du fait qu'elles se sentaient seules face aux nombreuses responsabilités, et ce, d'autant plus que la garde partagée avait pu susciter l'espoir d'un meilleur équilibre entre les parents. En effet, le niveau de satisfaction des parents est souvent associé au niveau de coparentalité. Clarifions un peu ces termes.

D'abord, la **parentalité**. Vous le savez par expérience, être parents, c'est tenter de répondre le plus adéquatement possible aux besoins de l'enfant tant sur le plan physique qu'affectif et psychologique. C'est pourquoi le concept de **coparentalité** est si important. Il réfère à la coordination, l'engagement et le soutien mutuels de même que la coopération entre le père et la mère en ce qui a trait aux décisions et à la prise en charge de tout ce qui concerne l'enfant et ses différents besoins, et ce, autant pendant la vie commune qu'après la rupture. La coparentalité est donc un aspect central de la vie familiale et, chez les parents séparés, un idéal à atteindre pour l'enfant[7]. Certains auteurs y voient un levier potentiel pour l'amélioration du fonctionnement familial et, par conséquent, l'assurance du bien-être de l'enfant.

En d'autres mots, la capacité des parents de faire équipe a beaucoup d'impact sur l'évaluation de leur vécu. Est-ce à dire que pour que la garde partagée soit réussie, il faut qu'il y ait eu une forme de partage des responsabilités à l'époque de la vie commune ?

Si la coparentalité était peu développée du temps de la vie commune, le risque est grand qu'elle n'apparaisse pas « en prime » avec la décision d'appliquer la résidence alternée. Cette attente de changement immédiat serait irréaliste. Par ailleurs, tout comme il est possible « d'apprendre à être parents » avec amour et au fil de l'expérience, il est aussi possible « d'apprendre à être coparents », c'est-à-dire de développer des habiletés parentales complémentaires mais concertées. Des parents m'ont mentionné qu'il leur était plus facile de collaborer depuis qu'ils n'étaient plus sous le même toit puisqu'ils se sentaient libérés d'une tension et qu'ils pouvaient ainsi se consacrer entièrement à leur rôle de parents sans interférence.

Se consulter pour prendre les décisions importantes relatives à l'enfant, concilier les différences de points de vue et de valeurs, s'entraider et mettre les besoins de l'enfant au premier plan, voilà qui constitue un beau défi. Mais cela ne s'acquiert qu'avec une motivation sincère et des efforts soutenus de la part des deux parents. Pas surprenant alors que les difficultés rencontrées à cet égard du temps de la vie commune puissent surgir de plus belle après la rupture. Cependant, qu'il s'agisse d'assumer davantage de tâches et de responsabilités ou, au contraire, de déléguer une part de ces responsabilités, ce nouveau partage ne peut s'apprendre que si l'ouverture et la bonne volonté sont au rendez-vous. Tous peuvent en retirer de grands bénéfices, surtout les enfants.

Des parents peuvent par ailleurs vivre une forme de coparentalité sans nécessairement appliquer la résidence alternée et en être tout à fait satisfaits. Le degré de coparentalité acceptable peut également varier selon les attentes des parents, car même un partage égal du temps auprès de l'enfant ne réussit pas toujours à modifier les habitudes antérieures de partage inégal. Par contre, il est très difficile et peu souhaitable d'appliquer la garde partagée sans coparentalité. Nous verrons principalement au chapitre 5 les dangers qui peuvent en découler.

La coparentalité peut s'apprendre avant ou après la rupture, mais c'est habituellement beaucoup plus exigeant après...

Les avantages et les inconvénients de la garde partagée

Avantages

Présence dans le quotidien

La présence des parents dans le quotidien de l'enfant constitue l'un des avantages majeurs évoqués par les tenants de cette modalité. Ils soulignent que c'est la formule qui ressemble le plus au modèle familial d'origine.

> « J'ai choisi de ne plus vivre avec mon épouse, disait Jérôme[8], pas de ne plus vivre avec mes enfants... »

Cette présence régulière et soutenue favorise le maintien de liens significatifs avec les deux parents, ce qui constitue l'un des facteurs déterminants de l'adaptation de l'enfant. De plus, une recherche longitudinale canadienne[9] souligne que, quelle que soit son évolution au cours des années suivant la séparation, la garde partagée semble favoriser le maintien des relations à long terme entre l'enfant et ses deux parents.

Partage des responsabilités

Bien qu'en alternance, chaque parent peut pleinement actualiser son rôle dans l'ensemble des tâches et des responsabilités qui lui incombent, et non pas uniquement comme parent de fin de semaine ou pour les loisirs. Ainsi, la santé, le soutien scolaire et le développement global de l'enfant ne reposent pas sur un seul parent. Ce partage inspiré d'une vision plus égalitaire tend à éviter la surcharge et, habituellement, le contrôle excessif de l'un ou de l'autre des parents, quoique certains pièges existent. Voici ce qu'espérait Nicole en proposant la formule de la résidence alternée au père de sa fille de 8 ans :

> « Je me sentais lésée. Je trouvais que lui, il avait le bon rôle au fond. Il me laissait toutes les responsabilités. Soudain, la garde partagée m'est apparue une solution de rechange appréciable, en tout cas une porte de sortie. »

Gain de temps libre

Le gain de temps libre n'est pas à négliger. Il n'est pas surprenant que les mères soulignent plus souvent cet avantage quand elles comparent leur temps partiel au temps complet du modèle traditionnel. Certaines apprécient ces « semaines de relâche » et voient comme un luxe la possibilité de vivre à fond leur vie de femme et non seulement celle de mère. Un père me mentionnait également que c'était formidable et qu'il connaissait plusieurs parents non séparés qui auraient souhaité profiter de ce temps libre 15 jours par mois.

Plusieurs médiateurs constatent que, dans le rythme effréné qui caractérise nos sociétés actuelles, dans lesquelles les deux membres du couple sont habituellement sur le marché du travail et doivent concilier exigences professionnelles et familiales, la résidence alternée devient parfois une solution de survie ! L'alternance peut en effet contribuer à réduire le stress en offrant un moment de répit à chacun. Des parents l'utilisent pour refaire le plein d'énergie avant de se consacrer plus entièrement à l'enfant, en formule condensée. De plus, le temps libre peut parfois faciliter la reprise en main de la vie personnelle. Je dois cependant nuancer en ajoutant que j'ai rencontré des mères, mais aussi des pères, qui affirmaient qu'égoïstement, ils préféreraient avoir leurs enfants avec eux tous les jours. Pour eux, être parent ne pouvait se vivre qu'à temps plein, mais ils ne voulaient pas priver leurs enfants de l'autre parent.

Égalité de pouvoir décisionnel

Avec cette façon de faire, il n'y a plus de parent dit « principal » et la terminologie rétablit, du moins théoriquement, l'égalité du pouvoir décisionnel des parents. Antérieurement, le terme désuet de « parent visiteur » ne pouvait que contribuer à creuser le fossé entre les conjoints séparés au lieu de créer les ponts si nécessaires à la coopération ! Certains pères apprécient beaucoup cette reconnaissance et ils sont de plus en plus nombreux à la revendiquer dès la rupture du couple, et souvent même durant la vie commune.

Contribution des deux parents à la subsistance de l'enfant

Il semble qu'avec la résidence alternée, les pères contribuent plus volontiers aux dépenses ayant trait aux besoins et à l'éducation de leur enfant puisqu'ils le font directement auprès de ce dernier. Cela peut constituer un autre avantage de cette formule, si la division des frais entre les parents respecte les capacités financières de chacun. Dans les cas où l'écart de revenus nécessite le versement d'une contribution à l'autre parent ou un partage inégal des frais, plusieurs médiateurs ont malheureusement constaté certaines résistances de la part du parent « plus fortuné ». Pourtant, le but recherché dans la division des frais est de conserver pour l'enfant un niveau de vie semblable à celui dont il pouvait jouir avant la séparation, sans trop d'écart d'un domicile à l'autre, grâce à une contribution équitable des deux parents. Pour ce qui est du respect des obligations alimentaires, je cite Paule Lamontagne, psychologue :

> « Il est intéressant de penser que l'attachement fort et entretenu entre les enfants et leurs deux parents après une rupture amène un engagement monétaire plus soutenu comme si de voir et de vivre plus proche et dans un rapport de collaboration et d'égalité entraînait un investissement économique autant que psychologique dont les enfants bénéficiaient[10]. »

Valorisation sociale des pères

Lorsque l'on compare la résidence alternée au modèle traditionnel, la mère apparaît comme s'investissant moins qu'avant et le père, beaucoup plus. Étant donné qu'une grande majorité de femmes sont actuellement sur le marché du travail et que la responsabilité des enfants doit nécessairement être confiée à des tiers, le contexte social d'aujourd'hui prête moins à disqualifier le choix des mères qui optent pour cette modalité parentale. Il semble que les hommes retirent encore de nos jours un fort sentiment de valorisation de ce même choix. Mais cette valorisation pourrait-elle entraîner, comme le craignent certains médiateurs (et même certaines mères), une revendication narcissique de la garde partagée simplement parce que c'est bien vu pour un père ? Pour ma part, je crois que le sentiment de compétence et de valorisation est un facteur important qui ne saurait être négligé, surtout s'il sert finalement l'intérêt de l'enfant. La preuve de la sincérité de l'engagement se mesure parfois dans la durée.

Occasion d'apprentissages complémentaires

Même pour celui qui n'aurait pas appliqué le partage des tâches et des responsabilités parentales durant la vie commune, la garde partagée peut devenir une occasion d'apprentissage si ce désir repose sur une motivation sincère et le souci de l'intérêt de l'enfant, et non sur une lutte de pouvoir et la revendication agressive de ce que certains considèrent comme « leur droit ». Nous pouvons toutefois comprendre la déception et le sentiment d'injustice sous-jacents à ces propos maternels :

> « Si leur père avait voulu s'impliquer davantage du temps de notre vie commune, nous ne serions pas en train de nous séparer ! Et maintenant que nos enfants sont plus autonomes, voilà qu'il veut s'en occuper ! »

Bien que certains engagements parentaux paraissent tardifs, il n'en demeure pas moins que la résidence alternée peut offrir aux mères comme aux pères le temps et l'occasion de réaliser des apprentissages différents et complémentaires. Ce qui ressort davantage chez les pères, c'est la capacité d'assumer seuls les responsabilités et les tâches quotidiennes jadis divisées entre les parents. Les sphères dans lesquelles ils reconnaissent avoir le plus appris sont les tâches ménagères et les relations avec les enfants. Les mères, elles, améliorent leur discipline, leur disposition à déléguer et apprennent à limiter leurs exigences.

Et pour les enfants ?

Selon le chercheur Richard Cloutier, il semble que la garde partagée soit la formule qui réponde le mieux aux aspirations des enfants, car ils peuvent ainsi maintenir un contact avec leurs deux parents.

Quand les parents optent pour ce type de garde, les enfants ont effectivement la possibilité d'avoir un père réel, contrairement à d'autres situations où les enfants et les pères doivent se contenter d'un lien fluctuant et superficiel. Que l'enfant n'ait pas à choisir entre ses parents est un gain majeur. Il ne perd ni l'un ni l'autre. Il ne pourra plus les voir tous les deux en même temps, sauf pour de courtes périodes ou lors d'événements spéciaux s'ils se sentent assez à l'aise émotionnellement pour être ensemble, mais il aura la possibilité de continuer à vivre avec chacun à tour de rôle et de se sentir « à la maison » chez chacun d'eux. Sa satisfaction semble conditionnelle au fait d'avoir une place bien à lui dans chacun des foyers et au sentiment d'appartenir à une famille dont les membres réalisent des activités ensemble[11].

Francine Cyr, psychologue, chercheuse et médiatrice, apporte toutefois la nuance suivante, à savoir que la garde partagée peut être éprouvante pour trois types d'enfants[12] :

- ✓ Ceux qui s'adaptent difficilement aux changements ;
- ✓ Ceux qui entretiennent une relation conflictuelle avec l'un de leurs parents (dépassant les simples différends parent-enfant) ;
- ✓ Ceux qui sont pris à témoin dans les conflits conjugaux.

Les conflits conjugaux postruptures peuvent d'ailleurs compromettre tous les gains que l'enfant pourrait retirer du maintien du lien avec ses parents.

Inconvénients

Les absences de l'enfant

Le fait de se séparer physiquement de ses enfants et d'être privé de leur présence représente une souffrance réelle pour la majorité des parents, souffrance qui est parfois davantage exprimée par le parent qui n'a pas choisi la séparation conjugale.

> « En plus d'avoir été abandonné(e), il faudrait que je me sépare de mes enfants la moitié du temps ! »

Voilà en effet un des inconvénients de la garde partagée, mais surtout de la rupture. Car dès que des parents séparés désirent rester engagés dans la vie de leur enfant, il y aura nécessairement du temps sans lui, que ces périodes soient courtes ou plus étendues. Certains parents parlent de « grands vides » lors de l'absence de leurs enfants. C'est le deuil de la permanence de l'enfant. Il s'ajoute à celui de la famille d'avant, et son intensité dépend de la façon dont la rupture est vécue par chacun et de la place qu'occupait l'enfant dans la vie du parent.

L'adaptation à l'alternance

L'alternance constante des séparations, avec toutes les composantes émotionnelles et matérielles qui s'y rattachent, de même que l'adaptation à deux styles de vie — une période avec les enfants, une autre sans eux — aux allers-retours, aux déplacements, aux bagages[13] à faire, à transporter et à défaire et aux transitions difficiles pour chacun, tout cela peut à juste titre être considéré comme un problème, parfois encore plus difficile à vivre pour les enfants que pour les parents. Plusieurs craignent que cette alternance de domicile ne perturbe les enfants, ce qui n'a toutefois pas été confirmé par la recherche :

> « Par rapport aux changements de domicile [...], les enfants en garde partagée ne se montrent pas plus anxieux ou plus confus que les enfants confiés à la garde de leur mère[14]. »

Le déplacement de l'enfant d'un domicile parental à l'autre ne crée pas nécessairement d'instabilité pour l'enfant, mais constitue un inconvénient bien réel que quelques précautions peuvent toutefois atténuer. Certains parents se sentent coupables d'imposer ce mode de vie à leurs enfants, surtout au moment des préparatifs du départ. D'autres, préoccupés par les difficultés d'adaptation que pourraient connaître leurs enfants, préfèrent se déplacer eux-mêmes plutôt que de faire se déplacer les enfants, comme nous le verrons au chapitre 4 dans les sections intitulées : « Qui bougera, les parents ou les enfants ? » et « Comment faciliter la transition d'un parent à l'autre pour l'enfant ? ».

Les contacts avec l'ex-conjoint

Parmi les autres difficultés mentionnées par les parents, il y a le malaise causé par la nécessité et les exigences de contacts avec l'ex-conjoint. Certains croient que la fréquence de ces contacts avec l'autre parent peut prolonger le processus de deuil, ce qui n'a toutefois pas été vérifié empiriquement. Les contacts entre les conjoints seraient-ils moins nombreux si le temps était partagé inégalement ? Pas nécessairement, sauf que pour être capables de concerter leur approche auprès de l'enfant, il est nécessaire pour les parents de savoir échanger l'information afin de favoriser une transition en douceur pour l'enfant. L'inconfort de ces contacts est souvent plus marqué dans la période qui suit immédiatement la séparation, lorsque le divorce émotif n'est pas encore achevé. Selon des études, cette période peut durer en moyenne environ deux ans.

La mobilité géographique restreinte

L'organisation découlant de la résidence alternée oblige souvent les parents à habiter la même localité ou région, ce qui peut restreindre leur mobilité personnelle et professionnelle. Quand un conjoint a quitté sa région d'origine pour accommoder l'autre, la tentation peut être grande de retourner, après la rupture, auprès de ses propres parents et amis, au risque de compliquer ou d'empêcher l'alternance de domicile pour les enfants. Il n'est alors pas facile de faire correspondre l'intérêt du parent et celui de l'enfant.

L'équité relative du partage des frais

Le partage des frais liés aux besoins de l'enfant est aussi jugé par certains parents comme une question sensible. Comme nous l'avons mentionné précédemment, **un partage égal n'est pas toujours un partage juste.** Ceux qui croyaient faussement se départir de leur responsabilité économique en assumant la garde de l'enfant à temps partiel apprennent que, même avec cette modalité, la contribution respective de chaque parent est établie en fonction de leur capacité financière, qu'il y ait ou non présence de nouveaux conjoints[15].

Les exigences de la parentalité à temps partiel

La perception du temps diffère parfois selon que l'on s'adresse aux pères ou aux mères. C'est ainsi que le même mi-temps, décrit comme un avantage par les mères, peut devenir un désavantage, voire une contrainte, pour certains pères lorsque ceux-ci ont moins appris à composer avec les exigences de la conciliation travail-famille. Il arrive aussi que les parents trouvent stressant d'avoir à répondre à toutes les demandes et à tous les besoins des enfants dans le laps de temps restreint qui leur est consenti.

Les fausses bonnes raisons[16]

Comme nous le verrons un peu plus loin dans ce chapitre, les motivations de ceux qui optent pour la garde partagée peuvent être complexes, multiples, variables dans le temps, et parfois, inavouables. Elles peuvent donc constituer des désavantages pour l'un des parents (ou les deux) et, par ricochet, pour l'enfant, par exemple lorsque le plan parental vise à acheter la paix ou à conserver une relation forte avec l'ex-conjoint(e) dans un contexte de conflit, de vengeance ou de deuil difficile à assumer, ou lorsque la motivation sous-jacente est davantage un argument de négociation d'ordre financier. Ces raisons ont tendance à éloigner ou interférer avec le réel désir d'assurer le bien-être de l'enfant.

Les pièges de la popularité de la garde partagée

Si cette modalité de garde ressemblait il y a 20 ans à un chemin étroit et mal balisé, il fait aujourd'hui figure d'autoroute multivoies très fréquentée où l'on se déplace à grande vitesse. Mon intention n'est pas d'« arrêter le progrès » mais d'attirer l'attention, à titre préventif, sur les dangers rattachés à cette popularité[17]. Celui d'en faire un automatisme en oubliant ses exigences est l'un des pièges que j'observe. Or, il me semble que les parents ont plusieurs options à leur disposition et qu'ils peuvent personnaliser leur voyage en n'oubliant pas que celui-ci s'effectue avec et pour leurs enfants. Pour poursuivre la comparaison, je dirais qu'on gagne à bien se préparer et à ne pas faire d'excès de vitesse. Il me semble aussi qu'il faut être encore plus prudent par « mauvais temps » et surveiller les panneaux de signalisation et les sorties dangereuses. Les parents copilotes gagnent à s'échanger les informations pour aller dans la bonne direction et pour éviter les accidents. Si tout le monde crie dans la voiture, il vaut probablement mieux s'arrêter pour faire une pause. Il n'y a ni conducteur ni itinéraire parfaits, mais le but reste tout de même de faire un beau voyage !

Des motivations à clarifier

Les motivations parentales peuvent varier d'un individu à l'autre et évoluer en cours de route. C'est pourquoi elles gagnent à être clarifiées entre les parents. Selon des propos recueillis en 1989 et en 2009, certaines constantes se dégagent de l'ensemble des motivations des parents rencontrés et elles sont, d'ailleurs, en lien avec les avantages mentionnés précédemment :

- ✓ L'importance de la relation avec l'enfant ;
- ✓ Le mieux-être des enfants ;
- ✓ Les considérations pratiques et financières.

L'expérience de la garde partagée se vit toutefois bien différemment selon que la décision du parent en est une de cœur, de raison ou de compromis.

L'importance de la relation entre parents et enfants

Jean-Pierre avait toujours été proche de ses deux fils, alors âgés de 2 et 5 ans, et il ne voulait pas perdre cet attachement. C'est ce qui l'inquiétait le plus au moment de sa séparation. Il le traduisait ainsi :

> « La relation que j'avais avec leur mère s'est modifiée, mais la relation que j'ai avec eux est comme un ruisseau qui coule sans s'arrêter. C'est inconditionnel ! [...] Pour moi, cela n'aurait pas suffi que les enfants me considèrent comme un visiteur ou un genre de père Noël, une fin de semaine sur deux ou par mois. »

Pour ce père comme pour bien d'autres, le lien précieux qui existait bien avant la séparation est à préserver. C'est lors de la séparation que d'autres se rendent compte, de façon aiguë, à quel point ils se sont peu investis dans la paternité. Ils souhaitent alors sincèrement se rapprocher de leurs enfants avant qu'il ne soit trop tard. Sans nier les exigences liées à ce rééquilibrage, je demeure convaincue que si l'objectif est vraiment centré sur la relation avec l'enfant, il faut soutenir ce désir d'engagement, car il est capital pour l'enfant aussi bien que pour le père.

Des mères ont pressenti cette occasion privilégiée de rapprochement père-enfant. Nicole savait que sa fille était trop attachée à elle ; elle s'inquiétait de leur relation, qu'elle qualifiait de « symbiotique », et au risque de perdre une part du contrôle qu'elle exerçait sur la vie de son enfant, elle a favorisé le rapprochement de sa fille avec son père.

Pour Jocelyn, la relation avec ses filles a été perçue comme une bouée de sauvetage alors que tout s'écroulait autour de lui. Pour celui ou celle qui se retrouve seul(e) après la séparation, la présence des enfants est une aide et un soutien importants contribuant parfois à combler le vide affectif. Par contre, il est important que le parent soit conscient de ce mobile pour ne pas surcharger l'enfant d'attentes et de pressions qui le ferait se sentir responsable de la peine ou du bonheur du parent.

Parfois, sans trop s'en rendre compte, un parent espère que la garde partagée puisse ramener l'autre parent. Cet espoir de réconciliation gagne aussi à être identifié. Jocelyn y parvenait lors de notre entretien :

> « C'est comme si elle n'était plus dans la maison, mais que, moi, je continuais à être marié. Je désirais rester avec les enfants dans notre maison pour continuer le même *pattern*. Je voulais toujours ma famille ; en fait, je ne décrochais pas. »

Comme ce dernier exemple l'illustre, l'importance de la relation avec l'enfant est parfois teintée de besoins affectifs de la part du parent. Dans des situations semblables, une aide professionnelle peut être souhaitable pour soutenir le parent et, ainsi, libérer l'enfant d'une responsabilité qui ne lui incombe pas[18].

Le mieux-être des enfants

Les parents rencontrés dans le cadre de ma recherche disent avoir cherché à diminuer le choc de la rupture pour les enfants. La formule d'alternance leur paraissait meilleure parce que moins traumatisante. Cette phrase de Jean-Pierre résume bien cette impression :

> « Notre but était que les enfants aient un meilleur équilibre personnel. »

En optant pour cet arrangement, des mères souhaitaient également que leur enfant puisse profiter au maximum de l'apport des deux parents, et surtout de celui du père. L'enfant peut se bâtir une image paternelle plus réaliste, moins idéalisée ou déformée si son père est à ses côtés. Ce double attachement de base et cette complémentarité dans l'identification de l'enfant sont de plus en plus reconnus et valorisés, tant par les parents eux-mêmes que par les chercheurs.

Les considérations pratiques et financières

Même si beaucoup de parents répugnent au marchandage, la division du temps et des responsabilités parentales comporte en réalité des aspects affectifs et des implications pécuniaires. Il faut donc immanquablement parler d'argent et clarifier cette dimension le plus tôt possible pour éviter que le partage du temps repose sur de fausses conceptions. Plus l'approche est conflictuelle, plus les parents risquent d'être piégés dans des considérations d'ordre complètement étranger à la responsabilité parentale comme telle. Et ce constat dépasse les frontières du Québec.

Les avantages pratiques liés à l'organisation du quotidien sont également invoqués comme motif pour établir l'alternance. En effet, des contacts sporadiques et irréguliers permettent difficilement un ancrage dans une routine bien organisée, contrairement à l'alternance prévisible d'un plan parental stable. Cet avantage est souligné même par des parents ayant des horaires de travail variables puisqu'ils recourent alors à des services complémentaires en milieu de garde ou à la maison et, lorsque c'est possible, par les mêmes personnes-ressources connues de l'enfant. Louise Handfield-Champagne, médiatrice québécoise, y voit une collaboration intelligente des parents et un esprit d'équipe pratique dans le contexte contemporain des vies surchargées par le travail, les exigences des carrières et les horaires des activités des enfants. C'est pour les mêmes raisons que les parents apprécient tant le partage réel des responsabilités parentales, que ce partage soit réorganisé au moment de la séparation du couple ou déjà bien établi au préalable. Notons également que la modalité de résidence alternée peut s'instaurer dès le début ou être mise en place après l'application d'un autre modèle de garde, comme la résidence avec la mère, surtout pour de très jeunes enfants. L'itinéraire postrupture peut donc lui aussi colorer les motivations des parents.

La garde partagée peut-elle être imposée à l'autre parent ?

Cette question m'a été posée à maintes reprises et dans des contextes très variés. Parfois, il s'agissait de mères de jeunes enfants ou de nourrissons qui craignaient que le père de l'enfant réclame un partage du temps ne tenant pas compte de l'âge de l'enfant, de l'allaitement ou du congé parental en cours[19]. Parfois, c'était tout le contraire, puisque des mères auraient souhaité que les pères s'engagent davantage. À d'autres moments, il s'agissait de pères qui se sentaient tenus injustement à l'écart par les mères et qui se demandaient s'ils ne pouvaient pas imposer un partage de temps plus équitable…

Si les réserves d'un parent face à cette modalité ont trait à des inquiétudes concernant les capacités de l'autre parent de répondre adéquatement aux besoins de l'enfant, il est sage d'y regarder de plus près, car c'est l'intérêt de l'enfant qui doit prévaloir. Il en est de même quand la question est présentée au tribunal dans les cas contestés. Nous savons tous que l'amour et l'engagement sont impossibles « à imposer ». Mais ce n'est parfois qu'avec le temps et l'expérimentation que se développent véritablement l'adhésion des parents, leur intérêt et leur satisfaction à vivre selon la modalité de la résidence alternée. Certains parents ont recours à des experts pour objectiver leur demande et en prouver le bien-fondé pour leur enfant. D'autres parents en discutent en médiation. D'autres encore mettent l'arrangement à l'essai afin de se rassurer mutuellement et de tenir compte des réactions de l'enfant. Quand les deux parents arrivent à un accord sur le plan parental, l'application en est d'autant facilitée. Par ailleurs, des parents dont la motivation était faible au début de la mise en place de l'alternance se sont dits très satisfaits après l'avoir expérimentée. Peut-on conclure que la garde partagée est réalisable même lorsqu'un seul parent la souhaite ? Pas toujours ! Il arrive que le parent moins motivé continue à douter ou à faire obstacle à son instauration. Lorsqu'elle est imposée par l'un des parents ou par le tribunal, elle risque d'être plus fragile. Inversement, plus les parents se montrent intéressés par ce genre de garde, moins ils auront de difficulté à surmonter les obstacles rencontrés.

Peut-on espérer que la résidence alternée mette fin aux conflits ?

Ici encore, les avis sont partagés, mais je crois qu'il faut tenter par tous les moyens possibles de mettre fin à la lutte avant d'entreprendre la garde partagée. Alors que des chercheurs[20] mentionnent depuis longtemps comme condition de sa réussite « le faible degré de conflit entre les parents » ou encore « un bon degré de résolution des conflits interpersonnels », d'autres suggèrent qu'elle peut parfois mettre fin à une lutte de pouvoir dont le but est d'être reconnu comme un bon ou un meilleur parent. C'est également ce que soutiennent quelques défenseurs de la présomption favorable à la garde partagée, tant au Québec qu'en Belgique. Dans ce cas, on présume que cette modalité incite chacun à arrêter les hostilités et se consacrer véritablement à son rôle de parent.

Cet objectif apparaît utopique si les deux parents ne sont pas conscients des répercussions des hostilités sur l'enfant ou s'ils ne prennent pas les moyens pour corriger la situation. La reconnaissance des difficultés et le recours à des services de thérapie individuelle et de médiation familiale peuvent contribuer à mettre en place de meilleures conditions de réussite.

Jean-Yves Hayez, pédopsychiatre belge, questionne lui aussi le respect de l'intérêt de l'enfant quand celui-ci vit continuellement dans une ambiance de rivalité et de lutte de pouvoir :

> « La garde alternée ne peut pas être mise en place comme médicament chargé de régler les grandes tensions permanentes entre les parents[21]. »

Bien qu'il ait tendance à exclure la résidence alternée quand les conflits sont vifs et interminables, il ajoute toutefois :

> « Je ne défends pas ma position à outrance ; car de toute façon, dans ces cas, c'est l'enfer pour l'enfant, quelle que soit l'option choisie...[22] »

Dans les situations de violence conjugale, les mises en garde sont encore plus sérieuses considérant la dangerosité et la complexité des enjeux. Nous élaborerons davantage ce point au chapitre 5 en traitant des situations plus difficiles.

Quelle est la limite acceptable à la proximité ou à la distance entre les domiciles ?

On a précédemment dit que la résidence alternée obligeait les parents à résider à proximité l'un de l'autre, c'est-à-dire dans la même localité ou dans un rayon d'une vingtaine de kilomètres, afin de faciliter les déplacements de l'enfant et le maintien de son réseau. La majorité des parents cherche d'ailleurs à maintenir le plus de stabilité possible dans la vie de l'enfant. Le milieu de garde, l'école, les amis et l'environnement physique sont des repères qui assurent des liens sociaux. Mais il n'est malheureusement pas toujours possible d'assurer cette continuité. Les parents doivent tenir compte d'aspects économiques et affectifs dans le choix de leur nouveau domicile. Ils peuvent également se heurter à des contraintes ou des enjeux reliés à l'emploi, à la famille d'origine, au nouveau partenaire, à la recomposition familiale et même au pays d'origine. C'est pourquoi nous avons été témoins, depuis quelques années, d'arrangements défiant les distances géographiques mais comportant leur lot d'inconvénients, surtout pour les enfants. Mentionnons, entre autres, les longs déplacements qui peuvent être source de fatigue et de stress[23].

Nous avons entendu des récits attristants comme celui de Maxime, un enfant de 3 ans et demi qui doit parcourir chaque semaine 300 km en automobile puisque les domiciles de ses parents sont à 150 km de distance. Il doit s'adapter à deux milieux de garde différents dans les villes respectives de ses parents qui se divisent le temps selon un rapport de 60 % (mère) – 40 % (père). Jacques, qui a passé plusieurs années à parcourir lui aussi de grandes distances avec sa fille, décrit sa vie comme « une vie en auto ». Marc-Antoine, un jeune adulte encore affecté par « sa vie dans deux villes », souligne les privations vécues par le manque de concertation entre ses parents, notamment pour les activités sportives et surtout le hockey de compétition dont il a été exclu faute d'assiduité. Dans cet exemple, le faible degré de coparentalité semble avoir eu autant, sinon plus, d'impact pour Marc-Antoine que la distance entre les domiciles.

Dans les cas exceptionnels de pays différents, l'enfant doit affronter des changements majeurs, tant au niveau scolaire que résidentiel et culturel. Des médiatrices reconnues comme Monique Stroobants[24] (Belgique), Annie Babu (France) et Pierrette Brisson (Québec) relatent des expériences positives de résidence alternée annuelle ou bisannuelle entre la France et le Québec, la France et la Guadeloupe, le Mexique et le Québec de même que la Belgique et le Québec. Dans ces situations, les parents peuvent continuer à être présents malgré la distance grâce à des séjours prolongés de l'enfant, soit durant la période scolaire ou les grandes vacances (en alternance) et, pour certains d'entre eux, grâce à la présence quotidienne (virtuelle) au moyen de la *webcam*. La flexibilité et la souplesse des parents et des enseignants, de même que la collaboration parentale, s'avèrent indispensables dans cette formule qui inclut parfois l'apprentissage et le perfectionnement d'une deuxième langue pour l'enfant (par exemple un cours complémentaire d'espagnol).

Il est à noter que des services de médiation internationale, avec un ou deux médiateurs, et l'apport de nouvelles technologies comme la vidéoconférence ont vu le jour et constituent une voie prometteuse[25].

Il y a donc toute une gamme de possibilités et la limite acceptable dans une direction ou dans l'autre repose en grande partie sur les capacités de chacun des membres de la famille. **Il importe de tenir compte du degré d'adaptabilité de l'enfant, d'autant qu'il vient de subir le stress de la séparation.**

Quand les parents peuvent résider à proximité l'un de l'autre, la vie en est habituellement facilitée. Y a-t-il une distance à maintenir ? Une balise pouvant guider ce choix est celle de la « distance émotivement confortable ». Certains ne se sentent pas disposés à côtoyer fréquemment leur ex-conjoint. Aussi considèrent-ils comme une distance idéale celle où les parents n'ont pas à se croiser sans l'avoir planifié. Cet inconfort émotionnel tend habituellement à disparaître avec le temps et il serait dommage qu'il motive à lui seul le désir de s'éloigner de l'environnement familier de l'enfant.

Hélène, qui a écarté l'idée d'un duplex à partager ou d'une maison jumelée, nous disait :

> « Il sait que j'ai quelqu'un dans ma vie. Il connaît sa voiture, il peut la voir dans la cour et cela ne me dérange pas. Qu'il reçoive quelqu'un, qu'il ait une amie ou organise des soirées ne me dérange pas moi non plus. Mais je n'ai jamais été à l'aise avec sa famille et je ne pourrai pas toujours les éviter si j'habite tout près. »

L'essentiel

Les enfants doivent se sentir chez eux dans les deux milieux de vie et bénéficier d'un minimum de confort et d'espace privé. Le défi est de créer « deux petits nids d'amour ». La distance entre les deux peut varier (qu'il s'agisse d'une maison jumelée, de deux villes ou de deux pays), mais il est toujours nécessaire de rester attentif aux réactions de l'enfant, qu'il soit chez papa ou chez maman.

La disponibilité des parents ou de l'un d'eux à assumer davantage de déplacements ou à reconduire les enfants à l'école ou au milieu de garde peut faire toute la différence quand les parents n'habitent plus le même quartier ou la même localité. Et si le transport de l'enfant est perçu et utilisé par le parent comme un moment privilégié de dialogue, cette exigence peut paraître moins contraignante. Par ailleurs, si les inconvénients et les frais rattachés à cette responsabilité sont complètement ignorés par l'autre parent, cela peut créer un sentiment d'injustice en plus de compromettre l'intégration de l'enfant dans le milieu le plus éloigné de son école. Il est également intéressant de noter que sous la pression de parents, les politiques de transport scolaire dans plusieurs commissions scolaires du Québec ont été assouplies afin de mieux répondre aux besoins des enfants ayant deux domiciles[26].

Boîte à outils

Cette première boîte à outils comprend :

- Une histoire intitulée *L'orange* ;
- Une douzaine de conseils pour parents séparés.

L'histoire de l'orange est particulièrement bien appliquée à la situation de plusieurs parents nouvellement séparés qui souhaitent faire des choix et « trancher rapidement » tout en étant justes et équitables, et ce, autant pour la division des biens communs que pour le plan parental. Il est alors facile d'oublier l'essentiel, soit les besoins de chacun, sous-jacents aux demandes. Mais lorsqu'on prend le temps de parler des besoins, de nouvelles options encore plus avantageuses peuvent surgir.

L'orange[27]

Trois enfants se disputent la dernière orange du plateau de fruits.

Attiré par leurs cris, le parent accourt. « Mais qu'est-ce qui se passe ? demande-t-il. Qu'avez-vous à vous chamailler ? »

« Je veux l'orange ! J'en ai besoin ! C'est à moi ! », répètent-ils tous les trois.

« Mais voyons, soyez raisonnables, conseille le parent. Je ferai l'épicerie demain. »

Et faisant de son mieux pour être juste avec chacun, le parent coupe l'orange en trois morceaux égaux et les distribue aux enfants qui se calment un moment. Peu de temps après, la querelle reprend de plus belle, au désespoir du parent qui regagne la cuisine et tente d'y voir plus clair.

« Mais enfin, ne pouvez-vous pas vous satisfaire de ce que je vous ai donné ? Je ne peux pas faire de miracles ! Que voulez-vous de plus ? »

C'est alors que l'aînée lui explique que dans ses cours de bricolage, elle apprend à faire de jolis sachets brodés remplis d'odorantes pelures d'orange. Ce n'est pas avec son petit morceau de pelure qu'elle y arrivera ! s'exclame-t-elle, déçue.

Le fiston lui raconte d'un ton affirmatif qu'il a besoin des pépins d'orange pour réaliser une expérience très importante à l'école. Son professeur s'attend à ce qu'il rapporte plusieurs pépins pour le cours de sciences de la nature et il n'y en a que deux dans le morceau d'orange qu'il a reçu !

La cadette, gourmande, continue de chigner et de réclamer toute l'orange parce qu'elle a « une grosse faim », dit-elle.

Le parent comprend soudain la nature des véritables besoins de ses trois enfants et réalise que ce n'est pas son calcul mathématique qui peut apporter la meilleure solution, bien qu'elle paraisse juste et équitable. Puisqu'il n'est pas trop tard, il refait le partage avec ses enfants qui reçoivent chacun ce qu'ils souhaitaient vraiment en réclamant l'orange, c'est-à-dire : la pelure pour l'aînée, les pépins pour le benjamin et la pulpe pour la cadette.

N'est-ce pas que les conflits sont moins dramatiques quand on prend le temps de dire les vrais besoins, de s'écouter, de se comprendre et de rechercher des solutions qui conviennent à chacun ?

Conseils pour parents séparés

- Accordez-vous du temps, ainsi qu'à vos enfants, pour vous ajuster à cette nouvelle réalité familiale. La rupture est une opération émotionnelle qui doit être suivie d'une convalescence. Prenez soin de vous et demandez de l'aide à vos proches ou à des professionnels, au besoin.
- Rappelez-vous les beaux moments de votre union et parlez-en à vos enfants de façon constructive. Ces souvenirs sont un héritage précieux.
- Assurez vos enfants qu'ils ne sont pas à blâmer dans cette situation et qu'ils ne sont pas abandonnés ou rejetés. Les enfants pensent facilement qu'ils ont fait quelque chose de mal ou n'ont pas été assez bons eux-mêmes, provoquant ainsi les problèmes familiaux. Dites-leur que ce n'est pas le cas et que vous les aimerez toujours.
- Une colère qui n'en finit pas ou du ressentiment envers l'autre parent peut causer à vos enfants plus de dommage que le divorce ou la séparation elle-même. Les sentiments que vous manifestez sont plus importants que les mots.

- Abstenez-vous en tout temps de critiquer l'autre parent, même si cette critique est pour vous légitime. Cela peut vous être extrêmement difficile, mais c'est primordial, car l'enfant veut et doit respecter ses deux parents.
- Ne forcez pas et n'encouragez jamais vos enfants à prendre parti contre l'autre parent, même s'ils le font spontanément et que cela vous semble d'un grand réconfort.
- Essayez de ne pas changer trop radicalement la routine quotidienne des enfants.
- Le divorce ou la séparation entraîne souvent des compressions financières pour les deux parents. Ne cherchez pas à cacher une telle situation aux enfants. Soyez franc avec eux à ce propos sans les inquiéter inutilement. Laissez-leur savoir que vous souhaitez avoir leur aide et leur compréhension à cet égard (en particulier de la part des adolescents et des jeunes adultes).
- La séparation des parents est toujours pénible pour les enfants. Prenez le temps de leur expliquer ce qui arrive en des termes qu'ils comprennent et aidez-les à exprimer leurs émotions.
- Vous aurez probablement à relater l'histoire de votre rupture aux enfants quand ils auront grandi et acquis plus de maturité. Sans jouer au martyr ou prétendre qu'il s'agit d'une tragédie, n'en faites pas non plus un événement banal, sans conséquence.
- Ne laissez pas votre sentiment de culpabilité intervenir dans votre rôle de parent. Vos enfants ont besoin de direction, de fermeté, d'encadrement et de sécurité.
- Prenez le temps de jouer avec vos enfants et de passer des moments agréables avec eux.

C'est bon pour eux et pour vous !

Notes

1. I. Côté, L-F Dallaire et J-F Vézina. *Tempête dans la famille. Les enfants et la violence conjugale.* Montréal, Éditions du CHU Sainte-Justine, 2e édition, 2011, p. 94.
2. De plus, comme les chercheuses Juby, Marcil-Gratton et Le Bourdais le précisent, les statistiques recueillies (soit 37 % en 2000) sont en deçà de la réalité puisqu'elles ne portent que sur les parents divorcés alors que le Québec est le « champion des unions de fait ».
3. En France le 4 mars 2002, en Belgique le 18 juillet 2006, en Australie en 2006, au Brésil le 13 juin 2008.
4. « Au XXe siècle, donc, les femmes ont amorcé un repositionnement social-révolutionnaire. Il s'agit peut-être de l'innovation humaine la plus importante de ce siècle ». Richard Cloutier, *Les vulnérabilités masculines, une approche biopsychosociale.* Montréal, Éditions du CHU Sainte-Justine, 2004, p. 109.
5. Voir Denise Côté, *La garde partagée : l'équité en question.* Montréal, Éditions du remue-ménage, 2000, 216 p.
6. Gilles Tremblay, travailleur social et chercheur, mentionne l'utilisation répandue du congé de paternité (80 à 90 % des nouveaux pères s'en prévalent) et les résultats concluants de recherches sur le lien d'attachement père-enfant ainsi favorisé. Équipe Masculinités et Société. www.criviff.ulaval.ca/masculinites_societe
7. S. Drapeau, J. Tremblay, F. Cyr, E. Godbout et M.-H. Gagné. Dans *Visages multiples de la parentalité.* Québec, Presses de l'Université Laval, 2008, p. 255-276.
8. Par souci de confidentialité, exception faite de quelques personnes m'ayant autorisée à les identifier, j'ai modifié les noms des personnes interviewées sans toutefois altérer les récits recueillis en entrevue ou lors de la recherche effectuée dans le cadre de ma maîtrise en service social à l'Université Laval.
9. ELNEJ (2004-FCY-6F) Même s'ils ne participaient plus à la garde physique de leur enfant, plus de 60 % des parents voyaient cet enfant au moins une fois par semaine [...] fréquence beaucoup plus élevée que pour les parents qui ne participaient pas à la garde physique de leur enfant au moment de la séparation.
10. Paule Lamontagne. « L'apport de la psychologie à la garde partagée – esquisse ». *Revue scientifique de l'Association internationale francophone des intervenants auprès des familles séparées*, vol. 1, no. 1, printemps 2007, p. 96.
11. Careau et Cloutier (1990) cités par Rodrigue Otis dans *La prise de décision concernant la garde d'enfants dans un contexte de séparation.* Eastman (Québec), Éd. Behaviora, 2000, p. 76.
12. Citée par A. Magny et F. Fouquette dans « La garde partagée : un mode de vie innovateur ». *Savoir Outaouais, Le Magazine de l'Université du Québec en Outaouais*, vol. 7, no. 1, hiver 2007, p. 10-15.
13. Voir la section Avec ou sans valises ? au chapitre 4.
14. Rodrigue Otis. *La prise de décision concernant la garde d'enfants dans un contexte de séparation. Op. cit.*
15. Au Québec, il existe depuis 1997 un barème gouvernemental pour établir la contribution financière des parents en fonction de leur capacité financière respective et de la division du temps auprès des enfants. Cet outil, bien qu'imparfait et souvent critiqué par les pères, offre l'avantage de balises objectives.

16. J'emprunte cette expression et plusieurs idées qui s'y rattachent aux auteurs G. POUSSIN et A. LAMY dans *Réussir la garde alternée. Profiter des atouts, éviter les pièges*, Paris: Albin Michel, 2004, p. 56.
17. C. GUILMAINE « Un petit vertige face à la popularité de la garde partagée » dans *Accalmie, Bulletin de l'Association de médiation familiale du Québec*, 1999,(6) 1.
18. Nous verrons au chapitre 5 comment éviter de confier ces rôles périlleux aux enfants.
19. Nous verrons au chapitre 4 comment tenir compte de ces particularités avec les tout-petits.
20. STEINMAN (1981) ; DURST et ses collègues (1985) ; IRVING (1990).
21. Jean-Yves HAYEZ est responsable de l'Unité de pédopsychiatrie aux Cliniques universitaires Saint-Luc à Bruxelles et auteur de l'article « Le devenir des enfants après la séparation des parents. Garde alternée et autorité parentale conjointe. Une décision délicate à prendre cas par cas ». *Observatoire citoyen*, août 2004.
22. Jean-Yves HAYEZ. « Hébergement alterné : seul garant du bien de l'enfant ? » *Santé mentale au Québec. Débats en santé mentale – La garde partagée*, vol. 33. no. 1, printemps 2008.
23. Voir à ce sujet l'article de Louise LEDUC « Papa quand est-ce qu'on arrive ? » dans *La Presse Plus* du samedi 17 mars 2007.
24. Monique STROOBANTS. « Au revoir Bruxelles... Bonjour Montréal... Un océan entre papa et maman mais... j'ai deux parents », *Revue scientifique de l'Association internationale francophone des intervenants auprès des familles séparées*, vol. 1, no. 2, 2007, p. 125-144.
25. Voir la *Revue scientifique de l'Association internationale francophone des intervenants auprès des familles séparées*, vol. 1, no. 2, 2007.
26. Dans son documentaire « J'ai deux maisons. La résidence alternée, une solution adaptée », réalisé en 2008, Olivier BORDERIE présente une situation d'alternance annuelle et les ajustements scolaires d'une jeune de 12 ans entre Paris (ville de la mère) et Biscarrosse, en Gascogne (ville du père).
27. Auteur inconnu, adaptation de Claudette GUILMAINE.

CHAPITRE 2

Les grands principes pour réussir

Les gens sont seuls parce qu'ils construisent des murs plutôt que des ponts.
Kathleen Morris

Sans détenir la recette du meilleur intérêt de l'enfant ni de la résidence alternée idéale, je vous propose ici quelques ingrédients de qualité qui donnent habituellement de bons résultats lorsqu'on les réunit avec soin :

- ✓ Garder l'enfant au cœur du plan parental et faire équipe pour lui ;
- ✓ Se faire confiance et se respecter comme parents ;
- ✓ Accepter de composer avec les différences ;
- ✓ Maintenir ou rétablir le pont de la communication.

Il est toutefois bon de se rappeler qu'il n'y a personne de parfait et que l'amour pour vos enfants peut constituer une puissante motivation à tendre vers le mieux. Ces repères se veulent préventifs et non dissuasifs. Ils pourront, je l'espère, aider parents et intervenants à identifier, s'il y a lieu, des pistes d'amélioration sans nécessairement éliminer le projet de garde partagée.

Garder l'enfant au cœur du plan parental et faire équipe pour lui

La préoccupation pour le bien-être des enfants est capitale ! Certains chercheurs considèrent que le souci commun de l'enfant et le désir de s'engager envers lui sont des motivations suffisantes pour assurer le succès de la garde partagée.

En optant pour cette modalité, des parents ont voulu répondre aux besoins affectifs et parfois aux désirs clairement exprimés des enfants. La majorité des parents ont consulté les enfants sur leurs préférences quant à l'aménagement des périodes ou cycles d'alternance, mais en conservant la décision finale. Il est sage de la part des parents de prendre cette décision conjointement en évitant si possible de questionner parallèlement les enfants ou de faire reposer la décision sur leurs épaules. Comme René le mentionnait au sujet de ses filles :

> « Les consulter en leur demandant leur permission ? Non ! Les consulter pour savoir si elles aimeraient que cela se fasse ? Oui ! »

Dans le cas où l'un des enfants semble peu ou pas intéressé par cette formule, il est prudent de saisir sur quoi reposent ses réserves avant d'éliminer trop rapidement la résidence alternée ou encore de séparer les enfants. En expliquant à l'enfant de façon simple le futur déroulement de son quotidien, le parent veillera à répondre aux questions qui peuvent l'inquiéter. De préférence, les parents tenteront de conserver intact le noyau de la fratrie, qui représente une forme de sécurité et de stabilité pour les enfants, en tenant compte si possible des particularités de chacun.

Si, en appliquant ce plan parental, les parents rencontrent des difficultés ou en perçoivent chez l'enfant, il est sage qu'ils se transmettent cette information avant que la situation s'aggrave ou que l'enfant adopte des positions de retrait face à l'un ou l'autre des parents.

Garder l'enfant au cœur du projet pourra aussi signifier pour les parents de se laisser guider par la recherche persistante de son bien-être dans toutes les décisions influençant sa vie, qu'il s'agisse du choix des lieux de résidence, des fréquences d'alternance, de l'arrivée de nouvelles personnes dans l'intimité de l'enfant, des règles de fonctionnement, des achats le concernant, du choix d'école, d'activités sportives et de loisirs ou de toutes les petites décisions du quotidien pouvant contribuer à son développement et à son bonheur.

Faire équipe pour lui demandera de la vigilance, mais sera le meilleur moyen d'éviter que l'enfant ait deux vies parallèles sans voie de traverse, une vie divisée dans laquelle les deux parents s'ignoreraient et où l'enfant risquerait de se sentir bien seul. Ce défi de coopération pourra se présenter sous diverses formes et de façon plus intense lors des différentes étapes de la réorganisation familiale. Mais comme le souligne Harry Timmermans, psychologue et médiateur québécois :

> « Nous ne connaissons pas d'enfant mieux équipé pour affronter la vie qu'un enfant dont les deux parents coopèrent à son sujet : cet enfant a de grandes chances d'être à l'abri des trois plus grands dangers qui le menacent suite au divorce des parents : les tensions parentales, la pauvreté et la perte relationnelle avec un de ses parents[1]. »

L'essentiel

Ce qui compte dans la garde partagée, ce sont les enfants. Quand ce n'est plus vrai, le choix de ce modèle de garde est questionnable et même dangereux !

Se faire confiance et se respecter comme parents

L'enfant a besoin de parents « qui ne se comportent pas comme des enfants ». Et ces parents doivent être assez solides pour se faire confiance et se respecter mutuellement. En situation de rupture, la confiance est très souvent ébranlée, mais il faut éviter de laisser les émotions personnelles contaminer sa perception de l'autre en tant que parent.

La confiance dans les capacités de l'autre parent est essentielle lorsqu'il est question de la sécurité et du bien-être de l'enfant. Mais tous les parents n'ont pas nécessairement des capacités parentales égales et peuvent éprouver plus ou moins de facilité à assumer leur rôle selon l'âge de l'enfant, qu'il s'agisse d'un jeune enfant ou d'un adolescent. Une mère me confiait :

> « Je ne pourrais pas faire une garde partagée, envoyer mon fils et être inquiète. Il faut absolument que j'aie assez confiance pour l'oublier pendant une semaine. »

Certains préciseraient sûrement qu'ils ne peuvent oublier leur enfant même s'ils le savent en sécurité avec l'autre parent. À tout le moins, ces parents peuvent avoir l'esprit tranquille lorsque l'enfant est confié à tour de rôle à deux adultes jugés matures et responsables. Ces parents sont capables de prioriser les besoins de l'enfant par rapport aux leurs, chaque jour et même en période de crise. Il est évident que des émotions vives peuvent embrouiller les perceptions au moment de la rupture. C'est pourquoi la distinction entre le domaine conjugal et le domaine parental doit être établie[2]. À la lumière de leur expérience, les parents nous apprennent que le sentiment de confiance peut s'accroître au fil du temps, au fur et à mesure que l'autre parent « fait ses preuves ». Au début, plusieurs doivent faire un effort pour accepter de ne pas savoir ce qui se passe chez l'autre et ne pas questionner l'enfant à ce sujet. C'est justement ce qu'affirmait Jean-Pierre après deux ans de résidence alternée :

> « Quand elle téléphonait pour vérifier si j'avais bien mis les bottes aux enfants les jours de pluie, je devenais bleu. Elle a fini par s'apercevoir que j'étais capable de m'en occuper. »

Au-delà du contrôle, il y a souvent le souci légitime du bien-être de l'enfant et l'importance de se rassurer mutuellement puisque chaque parent continue de se sentir parent même en l'absence de l'enfant.

La division des tâches étant traditionnellement ce qu'elle est, il semble que les mères doivent davantage lâcher prise, surtout si elles assumaient la majeure partie des responsabilités parentales durant la vie commune. Cette observation ne s'applique pas uniquement au Québec, comme le constate Anne-Marie Meuris, médiatrice d'expérience et formatrice en Belgique[3] :

> « Plusieurs mères ont encore de la difficulté à lâcher prise, à accepter le partage. Elles se sentent dépossédées de leur pouvoir et tous les prétextes sont bons pour refuser l'implication des pères à qui elles reprochent, parfois à tort, de ne pas bien s'occuper de l'enfant ou de le confier aux grands-parents ou à sa compagne. Le changement d'organisation doit alors se faire progressivement. »

Si la confiance peut se gagner, il en est de même du respect. Un respect mutuel minimum est vu comme une condition essentielle à l'établissement d'une garde partagée[4]. **L'absence de respect constitue en effet un enjeu encore plus grave que l'absence de communication.**

Le respect se manifeste dans la façon de se saluer, de s'adresser à l'autre parent, de négocier avec lui et de se montrer reconnaissant des compromis effectués ou des services rendus. « Traiter l'autre comme nous aimerions être traités nous-mêmes » est une règle simple qui n'est pas toujours mise en pratique. Sous prétexte de ne pas créer de fausses attentes de réconciliation de la part de l'ex-conjoint, le parent qui a initié la rupture se garde parfois d'être gentil. Certains s'enferment dans une froideur protectrice lors des contacts avec l'autre parent pour éviter de susciter la jalousie d'un nouveau partenaire. Le parent qui a subi la rupture peut avoir de la difficulté à surmonter sa peine et sa colère pour offrir sa collaboration. Il arrive que des parents se félicitent avec raison de ne pas parler contre l'autre, mais ils oublient que les yeux en disent souvent plus que les paroles et que les mimiques de désaccord ou d'impatience, les silences ou les soupirs lorsque l'enfant parle de son autre parent peuvent être tout aussi dommageables et véhiculer le même message de non-confiance.

Les messages verbaux et non verbaux étant perçus aussi facilement les uns que les autres par les enfants, il est bon de maintenir une image positive des parents. Comme l'a remarqué Corinne, qui a été mariée 10 ans au père de ses enfants :

> « Il y avait une espèce d'entente, de respect de l'autre, et puis je trouvais important de ne pas détruire l'autre. »

Cette image des parents est d'autant plus importante qu'elle se reflète directement sur celle que l'enfant a de lui-même, donc sur son estime personnelle.

Finalement, le respect est comme le drapeau blanc indiquant que chacun peut sortir de ses tranchées sans danger. Tous en bénéficient, surtout l'enfant qui constate que papa et maman sont au moins aussi affables l'un envers l'autre qu'avec les étrangers.

Accepter de composer avec les différences

Il est rare que les deux parents aient exactement les mêmes règles et exigences envers les enfants durant la vie commune. Chacun apprend habituellement à vivre avec ces différences. Cette capacité de reconnaître les différences, de les tolérer et de composer avec elles constitue une habileté positive tant qu'il ne s'agit pas de divergences majeures qui obligeraient les enfants à vivre en constante contradiction. L'enfant peut s'accommoder au fait que l'un de ses parents soit végétarien, plus sévère pour les devoirs, moins exigeant en matière d'hygiène, plus écolo, moins permissif à propos des sorties ou plus rigide quant à la participation aux tâches tant qu'il y a du respect et un minimum de confiance entre ses parents. Pourvu que les valeurs de base soient conciliables, certaines différences parentales peuvent même être enrichissantes pour les enfants. Il peut en être ainsi sur le plan matériel et les choix de consommation.

L'un des pièges à éviter dans le rôle d'éducateur est celui de la culpabilité. Si cette dernière guette les parents modernes, elle peut s'avérer encore plus insidieuse pour le parent qui a initié la rupture et qui a l'impression d'être la seule cause de tous les bouleversements vécus par les enfants. L'alternance peut ajouter à cette culpabilité puisque le parent, en voyant moins l'enfant, peut être tenté de diminuer ses exigences ou de relâcher la discipline pour éviter les affrontements, pensant ainsi faciliter la vie de chacun. Pourtant, une trop grande permissivité à l'égard des enfants ne serait sûrement pas à leur avantage à long terme.

Les problèmes surviennent quand les parents se sabotent mutuellement ou cèdent aux comparaisons ou à la manipulation — parfois innocente — des enfants qui recherchent des bénéfices. Il est important d'être fidèle à soi-même et à ses principes, bien que cela n'empêche personne d'avoir ses propres petites contradictions !

Puisque chaque parent peut appliquer sa philosophie et ses méthodes sans avoir à faire les concessions qu'exige la vie commune, les différences sont souvent plus accentuées et plus visibles après la séparation. Il est donc bon d'établir un cadre convenable pour réduire ces écarts et les rendre « moins indigestes » pour l'enfant. Lorsqu'elle est possible, la similarité des règles et des exigences constitue un avantage indéniable, tant pour les parents que pour les enfants.

L'idée de préciser le plan parental au début de la réorganisation familiale, pendant que le climat s'y prête et sans attendre l'arrivée des conflits, peut faciliter les concessions. Il est parfois utile d'établir une liste de ce qui est « non ou moins négociable » pour chacun des parents pour éviter les perpétuels changements ou affrontements (*voir la Boîte à outils, page* 57). Les parents peuvent aussi exercer une influence l'un sur l'autre, sans qu'elle soit toujours ouvertement reconnue. Plus il y a de risques de mésentente, plus les règles de fonctionnement gagnent à être précisées et non improvisées. Il est évident que les habitudes établies antérieurement dans la famille seront les premiers automatismes qui risquent de s'appliquer après la rupture, mais il est possible d'établir un certain équilibre si les deux parents sont ouverts et de bonne foi. La souplesse et la recherche d'équité favorisent l'harmonie alors que la rigidité provoque la rigidité. Comme les parents le disent eux-mêmes, il est bon de « choisir ses batailles » et également d'avoir des attentes réalistes.

L'essentiel

Il n'est pas souhaitable que les enfants aient à évoluer avec deux modèles antagonistes. Il est aussi vain d'entretenir le désir de changer l'autre, durant la vie commune et plus encore après la séparation ! Le deuil du parent idéal doit parfois être refait face à soi-même et à l'autre[5].

Maintenir ou rétablir le pont de la communication

Pour réussir ce plan parental, les parents reconnaissent qu'il leur faut être capables de se parler, du moins en ce qui concerne l'enfant. Même ceux pour qui les contacts sont tendus, entachés de rancœur, de culpabilité ou d'une profonde déception voient la nécessité d'un minimum de communication. En effet, comment s'entraider et faire équipe pour le bien de l'enfant si l'on ignore l'autre parent, si l'on retient jalousement les informations le concernant, si l'on veut être autosuffisant et ne rien laisser filtrer du vécu de l'enfant de peur d'être jugé ou critiqué ?

Jean-Claude Plourde, travailleur social et médiateur familial au Québec depuis 28 ans, n'hésite pas à faire de la communication entre les parents un préalable indispensable à la garde partagée. Si la communication verbale est déficiente ou non fonctionnelle et que le contexte relationnel parental ne réunit pas les conditions nécessaires à l'établissement d'une collaboration ouverte, il remet alors en question le choix des parents qui souhaitent cette modalité de garde. Cette conviction, Jean-Claude Plourde dit la porter jusque dans la moelle de ses os et c'est pourquoi il se fait le défenseur des enfants vulnérables et impuissants. Plusieurs médiateurs d'ici et d'ailleurs mentionnent également cette préoccupation. Éliedite Mattos Avila, assistante sociale d'expérience et médiatrice familiale au Brésil, souligne qu'un minimum de communication devrait être établi entre les parents. Tous sont convaincus que l'équilibre psychologique des enfants passe par la capacité des parents à se parler.

Au cours de la médiation, les enfants sont parfois invités à rencontrer le médiateur. Plusieurs expriment de la tristesse du fait que leurs parents « se disputent » et leur désir le plus fort est que cela cesse. Le médiateur peut alors aider les parents à accueillir les propos de leurs enfants et à s'outiller pour améliorer leur capacité de communication.

Car si certains parents réussissent à maintenir le pont de la communication même en période de rupture, d'autres doivent réapprendre à se faire confiance, à se parler et à collaborer. Le temps est utile, mais l'aide professionnelle individuelle ou de couple s'impose parfois pour rétablir une communication fonctionnelle et pour éviter de laisser l'enfant voguer dangereusement entre les deux rives parentales. La reprise d'un dialogue ouvert libère les enfants, facilite les ajustements et diminue les risques d'interprétations erronées et de conflits.

Si un consensus à cet égard se dégage des chercheurs comme des professionnels, en revanche la fréquence et les modalités de contact entre les parents peuvent varier. C'est la qualité des échanges qui importe plus que la quantité. Pour ce qui est des modalités, elles peuvent inclure ou non des rencontres entre les parents lors des moments de transition de l'enfant ou en son absence. Certains parents accueillent avec facilité et naturel l'idée de rencontres régulières, par exemple pour partager leurs perceptions du vécu des enfants ou de leurs comportements avec chacun d'eux, planifier leurs inscriptions à différentes activités, discuter des résultats scolaires ou parler du partage des frais encourus ou à venir. Mais il n'existe pas de modèle unique applicable à tous. Si les deux le souhaitent et se sentent à l'aise avec ce type de suivi régulier, les résultats seront sûrement plus positifs que si l'un d'eux ne fait que s'y résigner. Les difficultés de communication sont, pour certains, plus épineuses au début de la séparation et s'estompent avec le temps. Pour d'autres, elles se complexifient avec l'arrivée d'un nouveau conjoint alors que, paradoxalement, cet apport peut s'avérer très aidant dans la communication entre les parents, comme nous le verrons dans le chapitre suivant. Il faut parfois expérimenter quelques formules avant de trouver celle qui convient le mieux et il est sage de faire tout en son pouvoir pour que la communication se bonifie et évolue avec la situation personnelle et familiale de chacun.

Quoi qu'il en soit, les échanges d'information entre les parents devraient toujours se distinguer des appels faits aux enfants, car ils ont justement pour but de libérer ces derniers de la lourde responsabilité de messager. Le nombre, la fréquence et la durée des échanges devraient également être établis en fonction du temps nécessaire pour partager l'essentiel concernant l'enfant. Il vaut mieux une brève communication fonctionnelle que de longs entretiens qui finissent par empiéter sur la vie privée de l'autre ou raviver de vieux conflits.

Parmi les moyens de communication, le **carnet d'information**, qui circule entre les parents, remplace parfois le face à face encore troublant. On l'appelle aussi le « cahier de communication » ou le « carnet itinérant ». Cet outil facilitant le suivi parental et contenant les informations essentielles sur l'enfant m'est toujours apparu comme étant très intéressant. Il peut être confectionné par les parents (*voir les consignes dans la Boîte à outils, page 57*), mais il est maintenant disponible sur le marché, au Québec et ailleurs, sous la forme d'un **agenda parental annuel** combinant à la fois le calendrier des séquences et le suivi des informations[6]. Le postulat sous-jacent à l'utilisation de cet outil est qu'une meilleure communication fait de meilleurs parents.

Il s'agit d'un carnet dans lequel les parents consignent ce qui concerne les enfants. L'idée est de transmettre d'un parent à l'autre les renseignements relatifs à l'enfant pour améliorer la constance du rôle parental et faciliter le suivi d'un milieu à l'autre. Il nécessite un peu d'effort et de discipline, surtout pour ceux qui sont moins à l'aise avec l'écriture, quoiqu'il puisse être réduit à une forme brève et conviviale. Lorsque les parents ont pris l'habitude d'y noter les informations les plus importantes, ils peuvent le consulter au besoin si leur mémoire flanche ou si leurs émotions embrouillent leurs idées... Il offre l'avantage d'un véritable portrait de l'évolution de l'enfant et pourra éventuellement faire partie de sa boîte à souvenirs et refléter de belle manière la collaboration dont ses parents ont fait preuve pour lui. Il peut également favoriser le suivi des décisions prises à son sujet et la mise à jour de la comptabilité. Les pochettes attenantes sont très utiles pour conserver les cartes d'identité, d'assurance-maladie ou d'hôpital, les cartes d'abonnement divers, les dessins des enfants, leurs cartes de vœux, les bulletins scolaires, les notes de santé ou les passeports. Une autre section peut contenir les factures, reçus et autres éléments de comptabilité.

D'autres moyens peuvent aider les parents à assurer pour l'enfant la continuité d'un milieu de vie à l'autre, notamment les messages vocaux sur le répondeur (qui offrent l'avantage d'une pause si les émotions sont trop vives), les *textos* ou courriers électroniques. Cependant, aucun moyen, même le plus sophistiqué, ne peut dispenser les parents de se parler.

Et la communication implique nécessairement la capacité d'écoute et tous les messages non verbaux...

Saviez-vous que...

En chinois, le verbe 聽 (écouter) est formé de quatre caractères ou idéogrammes combinés signifiant respectivement « oreille », « yeux », « cœur » et « donner toute son attention ».

Pour résumer ce chapitre, rappelons les quatre grands principes de réussite de la résidence alternée :

- Garder l'enfant au cœur du plan parental et faire équipe pour lui ;
- Se faire confiance et se respecter comme parents ;
- Accepter de composer avec les différences ;
- Maintenir ou rétablir le pont de la communication.

Une recherche récente[7] précise que les parents qui réussissent la garde partagée, qui l'apprécient et la maintiennent ont plusieurs caractéristiques en commun :

- Ils sont engagés dans leur parentalité et voient l'importance de l'implication des deux parents ;
- Ils coopèrent en dépit de sentiments négatifs ;
- Ils coordonnent adéquatement les activités parentales auprès des enfants ;
- Ils essaient d'agir en fonction du mieux-être de leurs enfants ;
- Ils sont flexibles ;
- Ils font des sacrifices, mais en retirent également une satisfaction personnelle.

Ces comportements et attitudes demeurent par-delà les changements dans leur vie. C'est donc une invitation à tenter de se maintenir dans cette voie.

Les outils qui suivent vous sont proposés sans prétention pour compléter les vôtres, s'il y a lieu. Il s'agit :

- Du cahier parental ;
- Du questionnaire sur vos buts en tant que parent ;
- Des règles éducatives de base ;
- Des précisions préalables.

À vous d'y puiser selon vos besoins et de « mettre ces outils à votre main ».

Le cahier parental

Si vous ne pouvez vous procurer l'agenda parental mentionné précédemment, vous pouvez vous en confectionner un. Utilisez un carnet épais et collez à l'intérieur de chaque couverture une pochette dont l'ouverture est accessible, soit l'une pour la comptabilité et l'autre pour les divers documents. Vous pouvez joindre un calendrier scolaire ou autre, annoté des principales activités et de l'horaire de base de l'enfant. De différentes couleurs, les jours avec maman et ceux avec papa y seraient plus facilement identifiables. Le cahier accompagne l'enfant d'un domicile à l'autre ou, encore, reste sur place si ce sont les parents qui alternent leur présence auprès de l'enfant. Les sujets qui y sont consignés peuvent différer selon les périodes, les besoins et les événements. Étant donné que l'enfant constate que les informations circulent entre ses parents à son sujet, il peut s'avérer propice de le mettre à contribution pour qu'il y souligne lui-même ses fiertés, ce qui fera en sorte de nourrir son estime personnelle. Vous éviterez ainsi que le cahier devienne, pour lui et pour vous, synonyme de « problèmes ».

En général, le cahier parental englobe les questions :

- **de santé et d'hygiène** (par exemple les soins dentaires à surveiller, le médicament à donner selon un horaire précis, le suivi avec les professionnels soignants, etc.) ;
- **relatives à l'école ou au milieu de garde** (par exemple les réunions à venir, les résultats d'examens, un problème d'intimidation ou autre survenu à l'école, les remarques d'une éducatrice, etc.) ;
- **de cours et d'activités parascolaires** (par exemple le choix d'une activité sportive, les coûts, les exigences d'accompagnement ou de transport, le matériel à se procurer pour une date précise, le local et le responsable de l'activité, etc.) ;
- **de projets ou d'organisation** (par exemple les prochaines vacances nécessitant une absence de l'école, le passeport, un changement à l'horaire, le choix de camps d'été, etc.) ;

- **d'éducation et de comportement de l'enfant** (par exemple sa sociabilité ou sa concentration, les rivalités ou les collaborations fraternelles, les réactions aux consignes ou aux exigences parentales, etc.);
- **de dépenses effectuées ou à envisager** (par exemple les achats de vêtements, les cadeaux, les frais d'orthodontie, etc.);
- **d'encouragement ou de fierté de l'enfant** (par exemple s'il s'habille seul le matin, se montre plus ouvert à goûter de nouveaux aliments, a présenté son nouvel ami, s'est engagé à tondre la pelouse chez le voisin, etc.).

Pour vous aider à identifier vos valeurs parentales essentielles, vous pouvez répondre à ce questionnaire puis noter les règles éducatives qui s'y rattachent.

La réévaluation de vos buts en tant que parent[8]

1. Quelles sont, d'après vous, les principales qualités d'une relation parent-enfant?

___

___

___

___

2. Quelles sont les valeurs de base que vous voulez communiquer à vos enfants?

___

___

___

___

3. Y a-t-il quelque chose que vous voulez changer dans votre relation avec vos enfants?

___

___

___

___

4. Énumérez ce que vous souhaitez améliorer en tant que parent.

____

____

____

____

5. Que voudriez-vous donner à vos enfants que vous n'avez pas reçu de vos propres parents ?

____

____

____

____

6. De quoi vos enfants ont-ils besoin pour bien s'adapter à la réorganisation familiale à la suite de la rupture conjugale ?

____

____

____

____

7. Quand vos enfants seront adultes, quel souvenir voudriez-vous qu'ils conservent de la manière dont vous avez réglé votre rupture/divorce ?

____

____

____

____

8. Comment voyez-vous vos enfants dans l'avenir (vécu, travail, etc.) ? Quels moyens voulez-vous mettre en place afin de jouer, comme vous le souhaitez, votre rôle de parent ?

____

____

____

____

L'exercice précédent peut constituer une bonne préparation pour identifier les règles de vie ou de discipline prioritaires que vous considérez comme devant être maintenues ou instaurées. Ces règles seront vos nouveaux phares. Il ne s'agit pas d'élaborer une liste exhaustive, mais plutôt de cerner ce qui vous tient vraiment à cœur pour votre enfant, puis de le partager avec l'autre parent dans le but d'avoir une base commune malgré les différences inévitables.

Règles éducatives de base

____

____

____

____

____

____

____

Les précisions préalables

Elles peuvent constituer un guide des sujets sur lesquels vous avez intérêt, en tant que parents, à vous entendre avant d'appliquer la résidence alternée. Vous pouvez commencer la conversation avec les points les plus simples ou les moins conflictuels. La discussion peut s'étaler sur plusieurs rencontres. Il vaut mieux interrompre l'exercice et se laisser le temps de réfléchir que de compromettre l'entente ou le projet de garde partagée. Si vous ne parvenez pas à vous entendre ou si vous désirez être accompagnés dans votre démarche, vous pouvez recourir aux services d'un médiateur familial. Voici les points de discussion suggérés :

- Les lieux de résidence ;
- La durée des séquences avec mention de l'heure et du jour de transition ;
- Les vacances hivernales et estivales, les anniversaires des parents et des enfants et les congés spéciaux ;
- Le transport de l'enfant d'un domicile à l'autre (comment, quand, par qui ?) ;
- Les valises et les effets en double (voir le chapitre 4 : « Avec ou sans valises ? ») ;
- La clé des domiciles ;

- La division des dépenses :
  - L'établissement du budget pour l'enfant ;
  - Les achats, factures et modalités de remboursement (comme les vêtements, l'achat de meubles supplémentaires, etc.) ;
  - Les prestations ou déductions fiscales (s'il y a lieu) ;
  - La contribution financière de chaque parent.
- Le choix de l'école, du milieu de garde et ou de la gardienne (modalités de transport, s'il y a lieu) ;
- La participation aux réunions d'école et de milieu de garde ;
- Les visites chez le médecin et le dentiste (incluant les soins spéciaux) ;
- Le choix des activités et des cours pour l'enfant ;
- L'entretien des vêtements ;
- Les horaires de base (par exemple le lever, le coucher, etc.) ;
- La consultation de l'enfant au sujet de la résidence alternée (sur son désir actuel et sur la possibilité pour lui de se prononcer à nouveau) ;
- Les communications verbales et écrites au sujet de l'enfant ;
- Les communications avec l'enfant quand il est chez l'autre parent (par le biais, notamment, du téléphone, du clavardage ou de la *webcam*) ;
- La liste des choses à exécuter ou à se procurer :
  - Le calendrier des séquences avec chaque parent (un calendrier scolaire identifiant par deux couleurs différentes les jours avec la mère et le père, par exemple) ;
  - Le carnet itinérant d'information (ou agenda parental) ;
  - La liste des effets à transporter à chaque déplacement ;
  - L'autorisation officielle pour les voyages/vacances hors du pays (s'il y a lieu).
- Les attitudes et les principes à appliquer en priorité :
  - L'accès aux deux parents et à leur famille élargie ;
  - Le respect mutuel (au moins devant l'enfant) ;
  - La communication directe entre parents sans utiliser l'enfant comme messager (notamment grâce au carnet, aux *textos* ou aux appels téléphoniques) ;
  - En cas de désaccord, le recours à une tierce personne neutre (comme un médiateur familial) ;

- La priorité à l'autre parent pour le gardiennage (sans avoir à justifier la demande ou le refus, donc en évitant de faire de l'ingérence dans la vie de l'autre parent)[9].

Vous pouvez modifier cette liste selon vos préoccupations et vos besoins individuels.

La mise sur pied de cette modalité de fonctionnement est exigeante. Il y a beaucoup de décisions à prendre et beaucoup de sensibilité à fleur de peau, surtout lorsque la rupture est récente. Il faut éviter de tout remettre à plus tard. Une entente claire et précise permet une application plus rapide et prévient les heurts et les discussions à répétition. On peut indiquer une date de révision pour se réajuster et même une période d'essai (par exemple jusqu'à Noël ou d'ici le déménagement).

Par la suite, vous pouvez choisir ou non de faire établir un document officiel résumant vos ententes.

Notes

1. Harry TIMMERMANS. « La garde partagée : une organisation précieuse ». *Revue scientifique de l'Association internationale francophone des intervenants auprès des familles séparées* 2007 1 (1) : 208.
2. Nous verrons d'ailleurs au chapitre 3 les exigences de ce délicat passage du couple parental à l'équipe parentale.
3. Anne-Marie MEURIS a répondu à un questionnaire écrit concernant sa pratique de médiatrice en lien avec la résidence alternée en vue de la publication de *Vivre une garde partagée.*
4. Michel TÉTRAULT. *La garde partagée et les tribunaux.* Cowansville (Québec) : Éd. Yvon Blais, 2006, p. 73.
5. Voir *La famille idéale... ment* de Diane Drory. Bruxelles : Éditions Soliflor, 2008.
6. Voir www.agendaparental.com - Il s'agit d'un outil de communication et d'organisation destiné aux parents qui se partagent la garde d'un enfant. Il a été créé par des parents (France Gionet et Paul Doyon) qui connaissent les défis que présente la résidence alternée.
7. C.P. HAHN. « Long term joint physical custody : distinguishing characteristics of the parents ». *Dissertation Abstracts International, Section A - Humanities and Social Sciences* 2007 67 (9-A) : 3608.
8. Traduit de L. GOLD. *Between Love and Hate : A Guide to Civilize Divorce.* New York, Plenum Press, 1992. [Traduction par I.R.I.S. Québec et adaptation de Médiation professionnelle de l'Estrie].
9. Certains parents préfèrent faire d'abord appel l'un à l'autre lorsqu'ils sont dans l'impossibilité d'être auprès des enfants durant une période donnée alors que d'autres optent pour demander si possible les services d'une même gardienne connue des enfants.

CHAPITRE 3

Le délicat passage du couple parental à l'équipe parentale

Entre peurs et espérance vacille la flamme de notre vie
sur le seuil d'une ère nouvelle.
Colette Nys-Mazure[1]

Le plus grand défi pour les parents séparés

Sandrine le proclame sans hésitation :

> « Ce n'est pas parce qu'on n'a pas réussi à être un couple qu'on ne peut pas réussir à être parents. »

Ne plus se voir comme couple tout en demeurant parents exige toutefois une grande maturité qui peut s'acquérir avec le temps. Comment séparer le vécu de couple (et parfois l'hostilité conjugale) des obligations parentales ? Tout le défi est là !

Du temps de la vie commune, les parents assument toutes leurs fonctions de façon globale sans toujours distinguer la différence entre les rôles de parent et de conjoint. Des compromis et des ententes favorisent la distribution des tâches domestiques, du transport, des soins aux enfants, de la conciliation travail-famille, de la présence aux activités sportives ou de loisirs, des obligations quotidiennes et de tout ce qui constitue la vie de famille sous un même toit. Ce sont ces ententes qui doivent être revues après la rupture pour éviter, selon le dicton populaire, de « jeter le bébé avec l'eau du bain». Car l'enfant a encore besoin de ses deux parents durant cette épreuve, et sinon davantage qu'avant.

Comme nous l'avons vu précédemment, la résidence alternée est difficilement viable si le niveau de conflit est élevé et si aucune communication n'est possible au sujet des enfants. Toutefois, entre l'absence de conflits profonds et la relation d'amitié, il y a toute une distance dans laquelle peut s'inscrire une collaboration parentale, et ce, malgré les désaccords. C'est dans ce nouvel espace que chacun doit redessiner sa place et se redéfinir. Ce passage nécessite donc de changer de regard, de faire des deuils et de soigner les blessures affectives occasionnées par la rupture. Il entraîne également l'identification de nouvelles attentes qui doivent être réalistes et centrées sur le bien-être de l'enfant et non plus sur la satisfaction des besoins de chacun des membres du couple. On parle alors de la création d'une équipe parentale où chaque parent est d'abord centré sur l'enfant et non sur lui-même ou sur l'autre. Il est évident que la réponse à nos besoins est nécessaire pour équilibrer notre vie, mais cette réponse pourra se situer dans une autre sphère de la vie privée pour ne pas interférer avec la zone parentale. La différence se fait sentir quand on peut affirmer que la relation de couple est terminée, mais que la relation parentale continue… pour la vie.

Paradoxalement, il est curieux de constater que les parents séparés qui s'entendent bien à propos de l'éducation de leurs enfants éveillent parfois la suspicion. Pourtant, certains d'entre eux affirment en début de médiation qu'ils ne forment plus un couple depuis longtemps, qu'ils se sont perdus de vue pour se consacrer uniquement à leur rôle de parents, ce qui a pu les inciter à rester ensemble tout en les éloignant sur le plan affectif. Peut-être avez-vous déjà entendu cette réflexion: «S'ils s'entendent si bien, pourquoi se sont-ils séparés?» La réalité est plus complexe qu'elle n'y paraît. Un conflit de couple n'équivaut pas nécessairement à un conflit entre parents et la bonne entente parentale ne suppose pas obligatoirement la bonne entente conjugale…

On dit parfois que l'« on se sépare comme on a vécu ». Il s'agit des mêmes personnes avec les mêmes qualités et les mêmes défauts mais qui, en plus, traversent une des crises personnelles les plus exigeantes de leur vie. Le piège de la culpabilité guette plusieurs parents (séparés ou non). Les réactions des enfants et de l'ex-conjoint accentuent parfois ce sentiment qui ne doit pas devenir le tyran et seul maître de toutes les décisions subséquentes. C'est pourquoi, lors de ce passage délicat caractérisé par de grands remous émotifs, il peut être salutaire de garder la tête froide et de se demander :

- ✓ Qu'est-ce qui me fait réagir si fort actuellement ?
- ✓ Qui est blessé ou offusqué ? Le parent ou l'ex-conjoint en moi ?
- ✓ Cette question (ou cet enjeu) est-elle nouvelle entre nous ?
- ✓ Qu'en était-il de la confiance personnelle de chacun et de la confiance envers l'autre ? Y avait-il une lutte de pouvoir entre nous ? Une forme de dépendance ? Des inégalités ou d'autres sources de conflit ?
- ✓ Comment y faisions-nous face auparavant ?
- ✓ Maintenant que nous sommes séparés, est-ce sage de m'accrocher à cet aspect ?
- ✓ Ai-je du pouvoir sur ce point ?
- ✓ De qui dois-je faire le deuil ?
- ✓ Cette famille et ce parent idéalisés existaient-ils vraiment avant la rupture ?
- ✓ Notre enfant est-il affecté par la situation actuelle ?
- ✓ Si oui, comment le préserver des irritants qui ne le concernent pas ?

Pour mieux illustrer comment ce passage à l'équipe parentale peut faire toute la différence pour l'enfant, je vous propose ici deux exemples.

Sandrine a porté à mon attention le fait que Thierry, son ex-conjoint, refusait de lui transmettre des informations sur la santé des enfants sous prétexte, disait-il, « qu'elle avait fini de le contrôler ! ». Lorsque leur fille Rosalie a souffert d'une infection urinaire, plusieurs jours se sont écoulés avant que son père puisse se libérer du travail pour aller à la clinique avec elle. Quand Sandrine a appris cela, elle a demandé à Rosalie pourquoi elle ne lui avait pas téléphoné et lui a précisé qu'elle aurait été contente de l'accompagner. Rosalie s'est exclamée : « Papa ne veut pas que tu te mêles de nos choses quand c'est sa semaine ! »

Cette peur de revivre une forme de contrôle subi antérieurement peut faire complètement dévier les discussions entre les parents et faire perdre de vue l'intérêt de l'enfant... Par contre, lorsqu'elle est identifiée, les parents peuvent se rassurer sur leurs intentions positives et établir des règles, par exemple pour éviter de s'ingérer dans la vie privée de l'autre ou de s'approprier les décisions sans le consulter.

Jonathan est quant à lui venu consulter avec sa nouvelle conjointe, Barbara, parce qu'il ne savait plus comment gérer les réactions de Martine, la mère de son fils Xavier, âgé de 2 ans. Le climat de collaboration s'était passablement détérioré depuis les vacances, puisqu'à la dernière minute, Martine avait refusé que Xavier parte avec eux à la mer pour une semaine alors que toutes les réservations avaient déjà été faites. « Donne-*nous* du temps », demandait-elle à Jonathan, qui avait initié la rupture et fait rapidement vie commune avec Barbara.

Le parent qui parle en utilisant le « nous » ne se rend pas toujours compte qu'il crée ainsi une sorte d'alliance avec l'enfant en l'intégrant à un scénario d'adulte et en présumant qu'il vit le même malaise que lui. Dans cette situation, Jonathan a développé un peu plus d'empathie pour ce que vivait Martine et il lui a proposé qu'il augmente progressivement le temps de contact auprès de Xavier, de sorte qu'elle soit rassurée quant à ses capacités parentales et au fait que Barbara ne prendrait pas sa place auprès de leur fils. Martine, quant à elle, a demandé de l'aide sur le plan personnel pour mieux composer avec cette rupture subite et douloureuse. Une démarche thérapeutique peut parfois permettre d'exprimer la tristesse cachée sous la colère, émotions qui font obstacle à la collaboration parentale. On guérit pour soi mais aussi pour l'enfant, car celui-ci est le cadeau précieux que les parents se doivent de préserver.

Les parents doivent-ils absolument être amis ?

Cette croyance est encore répandue. On s'imagine volontiers que les parents doivent avoir décidé d'un commun accord et choisi dans un climat de bonne entente d'appliquer la modalité de garde partagée.

Dans les faits, cette situation est possible, mais n'est pas si fréquente. Le climat qui entoure la séparation est généralement empreint de tristesse, de déception, de culpabilité, de colère, et les blessures parfois profondes qui en découlent sont difficilement conciliables avec une relation d'amitié.

Il y a donc tout un continuum de relations possibles entre les parents appliquant une résidence alternée, variant de plus tendues à amicales. J'en distinguerais d'emblée trois types : **la relation parentale fonctionnelle, l'interférence du conjugal sur le parental et la relation parentale amicale.**

La relation parentale fonctionnelle

Elle se définit par un rapport utilitaire, centré uniquement sur les enfants. Cette relation est purement parentale. Les parents la décrivent comme une relation d'affaires, d'organisation ou d'arrangement. Il n'y a, alors, pas d'autres liens ou d'autres attentes qui débordent du cadre parental. Une majorité des parents percevant leur relation de cette manière s'en montrent satisfaits.

Régis dit à ce sujet :

> « Il y a une limite à l'amitié qu'on pourrait avoir... C'est, avant tout, être des bons parents, faire preuve de maturité, être capables d'entrer en contact, de se parler. Mais devenir de bons amis, je ne le pourrais pas. Je ne voudrais pas non plus être obligé d'échanger sur ma vie privée, pas plus que je ne voudrais qu'elle le fasse. »

L'interférence du conjugal sur le parental

Le deuxième type de relation est plus complexe et vient embrouiller l'aspect parental. Cette relation apparaît lorsqu'il y a toujours, entre les ex-compagnons, des parasites, des fantômes du passé qui interfèrent dans le présent. Ces ombres peuvent être des espoirs de réconciliation entretenus par les contacts fréquents ou l'ambivalence de l'un ou des deux ex-conjoints.

Maxime raconte son cheminement et le détachement auquel il est enfin parvenu. Pourtant, au début, il nourrissait plusieurs souhaits conjugaux qui prévalaient sur la relation parentale. Il n'arrivait pas à être seulement un coparent sans avoir d'attentes affectives envers son ex-épouse.

> « Les enfants me racontaient toute sa vie. Je cherchais à savoir. Plus je questionnais, plus je devenais en colère. J'étais ici, mais j'avais l'esprit là-bas. Une coupure se fait maintenant. Je fais mes affaires, je pense à autre chose. Avant, c'était toujours moi qui appelais. C'était, je l'ai compris plus tard, comme si je parlais à un mur. »

La coupure entre le domaine parental et le domaine conjugal n'est pas simple à mettre en pratique. Pourtant, cette capacité de distinguer les deux sphères est une source importante de satisfaction, comme nous l'avons souligné préalablement.

L'histoire mouvementée de Myriam comporte également des intrusions dans le privé. Son ex-conjoint ne se limitait pas à son rôle de père, mais tentait de maintenir le contrôle qu'il exerçait auparavant par des interférences difficiles à vivre pour celle qui nous confie :

« Je ne l'appelle jamais. Lui, quand les enfants sont ici, il appelle tout le temps. Il aime planifier notre vie. Je lui permets de savoir des choses de ma vie qu'il ne devrait pas connaître. Il sait, en détail, tout ce qui se passe. Je voudrais avoir la sainte paix ! J'aurais espéré qu'il respecte plus ma vie privée, qu'il se mêle moins de mes affaires. Partager la garde lui donne une raison de continuer à être présent dans ma vie. »

La relation parentale amicale

Existe-t-il, dans le cadre d'une garde partagée, des parents qui sont vraiment amis, qui se plaisent à s'inviter, avec ou sans les enfants, pour parler de choses et d'autres de leur nouvelle vie ? Oui ! Parfois après quelques années, parfois même au début. Il s'agit alors d'une relation du « troisième type », une amitié qui dépasse le rôle parental et rejoint les personnes dans leur être total. Lorsque cette forme de lien est souhaitée par les deux parents, elle n'est pas vécue de manière importune et trompeuse.

Juliette précise à ce sujet :

« On ne se raconte pas nos vies, mais, par certains échanges au restaurant ou ailleurs, on peut se suivre l'un l'autre. Il va toujours être le père de mon enfant. Je ne voudrais jamais éliminer de ma vie, même quand Simon aura 18 ans, celui avec qui j'ai vécu pendant 11 ans. On s'aime bien, on s'aime beaucoup même. On s'aime, mais pas pour reprendre une vie commune. Jamais ! Jamais ! »

Les observateurs sont sceptiques devant ce type de relation. On se dit : « C'est évident qu'ils vont revenir ensemble. » Pourtant, il est possible qu'un couple ne vive plus une relation amoureuse et ne désire plus partager le quotidien, mais que les deux personnes gardent l'un pour l'autre une affection réelle. Dans un essai philosophique sur l'amitié, Francesco Alberoni explore ce type de rapport[2] :

« C'est la redécouverte d'une personne qui a été aimée, d'une relation où toute animosité et toute rancune ont disparu pour céder la place à une affection réciproque. »

Il est donc faux de croire que ce type de relation sous-tend toujours un désir de réconciliation caché ou inconscient. Des ex-conjoints amis peuvent avoir une famille recomposée qui peut leur apporter de grandes satisfactions et qu'ils désirent préserver. Certains considèrent d'ailleurs que ces engagements respectifs facilitent les contacts entre ex-conjoints.

Ce ne sont toutefois pas tous les nouveaux conjoints qui sont capables d'accepter le maintien d'un lien d'amitié entre les parents et certains se sentent très menacés par cette relation : « Est-ce qu'ils s'aiment encore ? Pourquoi ont-ils tant besoin de se voir ? » Aussi, certains parents choisissent d'interrompre cette relation d'amitié pour ne pas compromettre leur nouvelle union.

Le délicat passage du couple parental à l'équipe parentale dépend de la dynamique antérieure, nécessite du temps, de la compassion pour soi et pour l'autre et parfois une aide thérapeutique pour prévenir des difficultés encore plus grandes.

Il est possible pour les parents d'être amis, et même souhaitable pour certains mais… ce n'est pas nécessaire pour réussir une résidence alternée, surtout si les parents peuvent établir une relation parentale fonctionnelle et respectueuse malgré les désaccords.

L'arrivée de nouveaux partenaires et quelques impacts possibles

L'arrivée d'un nouveau partenaire dans la vie d'un parent ou des deux parents, de façon sporadique ou permanente, peut comporter un risque puisque l'équilibre est à refaire et la place de chacun à redéfinir. Mais cet ajout peut également entraîner des effets positifs, comme nous le verrons.

Cette réalité peut effectivement ajouter à la complexité de la garde partagée puisqu'elle comporte ses particularités et ses exigences. De plus, certaines familles recomposées ont parfois des enfants de statut différent dont les modalités de garde ne sont pas nécessairement similaires, ce qui peut entraîner des comparaisons difficiles à vivre pour les enfants, et parfois aussi pour les parents.

Saviez-vous que...

Déjà, en 2005, la proportion des enfants québécois vivant en familles recomposées cinq ans après la séparation de leurs parents était de deux enfants sur trois [3].

Voyons ce qui peut causer des difficultés et comment les prévenir. D'abord, la relation avec les enfants n'est pas forcément aussi idyllique que la relation de couple. Il est vrai que la période de fréquentation sans cohabitation se déroule parfois sur le mode de la séduction, mais le fait de demeurer sous le même toit avec des étrangers qui ne sont pas nécessairement choisis peut modifier la donne. Chacun doit alors défendre sa place physiquement et psychologiquement... Il est possible que certains enfants manifestent spontanément le désir de passer plus de temps avec les membres de l'autre famille et même de cohabiter avec eux, mais ils ne savent pas exactement ce qui les attend. Il ne faut donc pas se surprendre s'ils résistent un peu ou beaucoup après avoir vécu les impacts de ce choix dans leur quotidien... Qu'il s'agisse de partager leur parent, leur chambre, leurs jeux ou la salle de bains, des ajustements seront nécessaires.

Roseline croit que son fils Raphaël, 6 ans, et sa fille Amélie, 9 ans, ont réagi à la recomposition familiale, bien qu'elle et son conjoint Jules l'aient appliquée de façon très progressive en conservant du temps privilégié avec leurs enfants en alternance hebdomadaire. Comme Roseline avait pris la décision de la rupture, elle se sentait fautive: « Les enfants pointent aisément un coupable et une victime de la séparation. Le coupable, c'est celui qui part et à qui les enfants font payer la note alors qu'ils prennent soin de l'autre », dit-elle. La résistance des enfants s'est manifestée par des conflits fraternels doublés de problèmes psychosomatiques. « Chez Pierre, ils étaient gentils, coopératifs et affectueux. Quand ils arrivaient chez nous, c'était la guerre. Amélie a eu la grippe. Elle a toussé pendant six semaines, tous les soirs, au point de vomir. On allait chez le médecin, elle ne guérissait pas. »

Roseline est alors intervenue en précisant à sa fille que, même si elle était malade encore six mois, papa et maman ne reviendraient pas ensemble. Ceci a mis fin aux tentatives de la fillette de les réconcilier. Roseline a toutefois veillé à rassurer ses enfants sur le fait que Pierre et elle les aimaient beaucoup et allaient continuer de prendre soin d'eux, mais chacun de son côté. Pierre a eu droit lui aussi à quelques essais de sabotage quand il a commencé à fréquenter une amie. Cependant, Pierre et Roseline s'entretenaient au sujet des réactions des enfants pour mieux saisir leurs peurs et leurs besoins et y trouver des réponses appropriées.

Il est prudent de prendre conscience du nombre d'adaptations simultanées ou rapprochées que l'on demande à l'enfant : s'adapter à la rupture, à la garde partagée, à de nouveaux lieux de vie, à des étrangers dans son quotidien, à un adulte qui n'est pas son parent, à un parent moins disponible, etc. Comment se surprendre qu'il « se colle » davantage sur son parent ou soit plus demandant en termes d'affection ? Et tout ça dans le même laps de temps qu'il avait jadis en exclusivité avec son parent ! Il peut aussi arriver que l'enfant se sente négligé et moins aimé et qu'il manifeste une réserve à ne voir son parent qu'en « présence de tout ce monde ». Cet enfant aura besoin d'être rassuré, et pas seulement en paroles… Dans l'intention de traiter tous les enfants de façon équitable, sans faire de différence entre « tes enfants » et « mes enfants », des parents se privent et privent les leurs de cette intimité qu'ils avaient au préalable et qui pourrait être si rassurante. Car la disponibilité physique et affective du parent mobilisé dans ce nouveau projet de vie commune peut être affectée et l'enfant peut se questionner sur la place qu'il occupe dorénavant dans son cœur. Je crois qu'il est impossible d'aimer tous les enfants de la même manière, mais il est certain qu'ils ont tous besoin d'être aimés.

Idéalement, les enfants gagnent à passer du temps de qualité avec leur parent[4] sans qu'on leur impose trop rapidement la présence d'une autre personne, surtout quand la rupture est récente. Malheureusement, la recomposition familiale ne donne pas d'heures supplémentaires ni de jours en bonus ! Et chacun aura besoin de temps. Le fait d'envisager la recomposition familiale comme un processus plutôt qu'un événement isolé peut encourager le dialogue du nouveau couple et les discussions avec les enfants de même qu'une mise en application progressive.

Bien que le rythme d'adaptation de chaque famille à ce mode de vie soit différent, et qu'il n'y ait pas de données scientifiques probantes, **des parents évaluent la période d'adaptation à un minimum de quatre ans et d'autres, à une moyenne s'approchant de l'âge des enfants au début de la recomposition familiale** (quel défi exigeant à l'adolescence !).

Certains ont comparé le choc ressenti par les membres de la nouvelle famille à celui de deux continents qui se rencontrent. On ne parle pas de dérive... mais c'est tout juste ! C'est que chacune des deux familles a son passé, ses valeurs, ses goûts et ses habitudes alimentaires, ses règles de fonctionnement, sa façon d'exprimer les émotions, ses blagues, ses deuils, ses souvenirs et ses blessures. Pour ajuster les deux cultures et toutes les attentes liées au nouveau mode de vie (en éliminant celles qui sont irréalistes), il faut donc une communication ouverte et de la patience, d'autant plus que l'exercice de la coparentalité inclut alors les parents et les beaux-parents !

Suggestions...

Afin de faciliter l'intégration du nouveau conjoint, on recommande habituellement au parent d'assumer lui-même, au début, la discipline et l'encadrement de ses enfants. L'ingérence disciplinaire d'un étranger peut en effet être perçue très négativement par l'enfant quand la relation avec cet adulte n'est pas encore consolidée.

Mais pour bâtir cette relation, la présence d'activités exclusives entre le jeune et son beau-parent constitue une stratégie gagnante[5].

Certaines fausses croyances peuvent induire parents et enfants en erreur et compliquer leur adaptation. En voici deux exemples :

- ✓ Celle de l'« amour instantané » laisse espérer une complicité magique avec les enfants de l'être aimé, alors que toute relation se construit et demande du temps pour bien s'apprivoiser. On ne peut pas « forcer l'amour » et les affinités ne sont pas toujours au rendez-vous. C'est pourquoi certains conjoints accepteront, parfois après beaucoup d'efforts et avec tristesse, que la relation avec les enfants de l'autre ne soit jamais ce qu'ils ou elles auraient souhaité, surtout s'il s'agit d'enfants plus âgés. Les attentes sont alors réduites à une relation de respect mutuel rendant la cohabitation harmonieuse, mais sans plus. Dans d'autres situations, le temps intensifie le lien qui peut devenir très significatif de part et d'autre. Il arrive même que certains souhaitent préserver ces attachements après une rupture de la famille recomposée.
- ✓ Une autre fausse croyance amène parfois des parents à vouloir effacer le passé comme s'il s'agissait d'une ardoise. L'idée de « repartir à zéro » ou de « recommencer sa vie » comporte le risque de couper de précieuses

> racines... Heureusement, on continue sa vie avec la possibilité de préserver son histoire, les liens antérieurs importants et tout l'héritage des expériences passées !

Tous les membres de la famille n'en sont pas nécessairement à la même étape dans le processus de deuil. De plus, la nature des pertes et des blessures peut être différente :

> « L'enfant qui a connu la séparation de ses parents et leur impossible réconciliation ; l'adulte qui a connu une séparation conjugale ; et même la personne qui en est à sa première union et qui doit faire le deuil de ce qu'elle avait projeté comme vie de couple et de famille[6]. »

Conserver le fil d'or des apprentissages passés fait aussi partie du processus de deuil. Et plus le deuil de la relation antérieure ou de la relation projetée est résorbé, plus la transition sera facile au plan émotionnel. Sinon, c'est un peu comme d'avoir un pied dans un bateau et l'autre sur le quai : l'équilibre est précaire !

Par ailleurs, la famille recomposée est une « vraie » famille, non traditionnelle mais de plus en plus répandue. Certains enfants expriment d'ailleurs leur fierté de retrouver une image de vie familiale semblable à ce qu'ils avaient connu antérieurement (ce qui peut être douloureux à entendre pour l'autre parent lorsqu'il vit seul...). Chacune des réalités comporte ses propres exigences.

La famille recomposée manque de références, de balises quant aux rôles et aux droits de chacun. Certains ont senti le besoin de se regrouper pour être davantage reconnus socialement et politiquement[7].

Les parents qui vivent cette réalité sont souvent la première génération à l'expérimenter et doivent faire preuve de créativité, de souplesse et d'une grande capacité d'adaptation. Pourtant, la recomposition familiale n'est pas un phénomène nouveau... Sur le thème des manques, certains parents mentionnent parfois aussi le manque de temps, le manque de termes pour bien traduire la réalité de chacun[8], le manque de soutien des familles élargies ou des ex-conjoints et les manques financiers dus aux nombreux besoins à satisfaire.

?

Saviez-vous que...

Napoléon, Joséphine et les deux enfants de celle-ci formaient eux aussi une famille recomposée (quoique Napoléon ne fût peut-être pas le beau-père le plus présent !). Cette formule existait aussi au Québec au XIXe siècle, mais à cette époque, c'était surtout la faible espérance de vie et le décès des mères en couches qui amenait les veufs (ou les veuves) à chercher un nouveau partenaire pour prendre la relève auprès de la maisonnée. Il n'était donc pas question, dans ce contexte, de combiner cette forme de famille à une garde partagée !

La famille recomposée n'est pas un modèle prêt-à-porter. Il faut l'inventer sur mesure ! Se refaire des traditions et des rituels. Et quand la garde partagée vient morceler le temps, le couple peut en retirer des îlots de lune de miel, quoique parfois perturbés par les préoccupations parentales ou les ex-conjoints. Cela ne signifie pas que cette organisation familiale complexe, souvent ignorée socialement ou caractérisée par des images stéréotypées, soit nécessairement plus problématique que la famille biparentale nucléaire, souvent idéalisée, ou que la famille monoparentale dans laquelle un parent assume seul les tâches et les responsabilités quotidiennes.

Les parents reconnaissent généralement que l'ouverture d'esprit d'un compagnon occasionnel ou permanent devant la résidence alternée et sa disposition à établir une bonne relation avec l'enfant sont autant de conditions de succès. Certains parents ajoutent à ces conditions l'acceptation du nouveau conjoint par l'ancien et un minimum de communication entre eux. Il est intéressant de noter que l'arrivée d'un nouveau partenaire peut avoir comme conséquence d'aider à modifier des perceptions et des attitudes défensives envers l'autre parent. Cette tierce personne peut même désamorcer des conflits parentaux et favoriser la collaboration si son approche est positive et son intérêt pour l'enfant, bien réel. C'est ainsi qu'on a porté à mon attention des ententes entre l'ex-conjointe et la nouvelle conjointe pour faciliter la vie de l'enfant, qu'il s'agisse de transport, d'accompagnement à des activités sportives ou à des spectacles scolaires et même de prêt ou de don de vêtements entre les enfants (dans ce dernier exemple, la mère s'était assurée de l'accord de son fils pour éviter qu'il ne se sente « dépossédé » de ses vêtements ou de ses jouets).

Cet apport d'un nouveau partenaire peut être rassurant lorsque celui-ci montre des qualités « parentales » complémentaires. Des mères de jeunes enfants le soulignent d'ailleurs lorsqu'une nouvelle compagne attentive aux besoins des petits vient assister le père. Un certain lâcher prise est toutefois nécessaire de la part des mamans.

Le père, tout comme la mère, peut par ailleurs se sentir menacé de perdre sa place auprès de l'enfant si le nouveau partenaire veut assumer une trop large part des responsabilités parentales. Cette attitude peut être perçue comme de l'ingérence ou une tentative de mise à l'écart. Certains parents déplorent le changement de comportement de leur ex-conjoint et la détérioration de leur collaboration à l'arrivée d'une tierce personne :

> « On dirait maintenant qu'on ne peut plus établir d'entente entre nous et que c'est l'autre qui prend toutes les décisions ! »

Suggestions...

Il faut éviter de rompre la communication avec l'autre parent ! Et si possible lui confirmer qu'aucun conjoint ou conjointe ne prendra jamais sa place de père ou de mère.

L'enfant qui vit en résidence alternée est sensible à la réaction de son parent devant la recomposition familiale qu'instaure l'autre... et s'il ne sent pas qu'on lui donne vraiment la permission d'aimer le ou la nouvelle partenaire, des conflits de loyauté peuvent lui compliquer la vie au point qu'il peut se « fermer comme une huître » et ne rien raconter de ce qui se passe ailleurs pour préserver cet équilibre précaire. Au contraire, quand l'arrivée d'un nouveau partenaire ne menace personne, l'enfant peut plus ouvertement se réjouir lui aussi que « papa ou maman soit amoureux », surtout s'il a été le témoin ou le confident de la peine du parent esseulé. S'il s'agit d'un enfant unique qui manifestait déjà le désir d'avoir des frères ou des sœurs, il est possible qu'il se montre intéressé à ce nouveau mode de vie, surtout s'il n'a pas à en vivre les inconvénients au départ.

L'histoire de Fannie et d'Émile

Fannie, 17 ans, et Émile, 16 ans, sont deux enfants uniques qui se sont trouvés réunis dans la même famille recomposée lorsque le père de Fannie et la mère d'Émile ont commencé à vivre ensemble, il y a plus de 12 ans. Il est intéressant de comparer leur vécu très différent qui nous rappelle qu'il n'y a pas de « réaction unique » et que de multiples variables entrent en ligne de compte dans l'adaptation de l'enfant (voir à ce sujet le résumé des facteurs ayant une influence sur l'adaptation de l'enfant dans la *Boîte à outils, page 88*).

Émile avait 2 ans quand sa mère, Sophie, a quitté son père, André, dans un contexte de violence. André n'a pas contesté qu'Émile habite avec sa mère et il ne se prévalait pas régulièrement de l'accès à son fils. Sophie n'a jamais souhaité éloigner Émile de son père, mais elle s'inquiétait du peu d'enthousiasme de l'enfant quand venait le temps d'aller passer « deux dodos » chez son père. Au plan affectif, Émile est resté beaucoup plus proche de sa mère. Il dormait même parfois avec elle, ce qui n'a pas facilité l'arrivée du nouvel amoureux, deux ans plus tard.

Fannie, pour sa part, vivait en garde partagée hebdomadaire et ses parents avaient su maintenir une forme de collaboration postrupture. Sa mère était toutefois beaucoup plus permissive avec elle que Christian, son père. Fannie était choyée sur le plan matériel et ses parents se partageaient les dépenses en plus d'assister tous les deux à ses activités sportives ou d'être présents aux fêtes scolaires.

Émile avait plusieurs raisons d'envier Fannie. Combien de fois n'avait-il pas attendu en vain André, qui n'avisait même pas qu'il ne pourrait venir le chercher comme prévu ! Son père semblait encore en colère contre sa mère même s'il avait formé une famille recomposée à son tour. Et Christian se montrait très exigeant à son égard, en plus de lui « voler » sa mère !

Après quelques années d'ajustement, Sophie et Christian ont décidé d'avoir un enfant ensemble. L'arrivée de Maude a été un bonheur pour toute la famille. Mais Émile devait maintenant partager encore davantage l'amour de sa mère. Et on sait que le nombre d'enfants multiplie de façon exponentielle les risques de rivalités conflictuelles[9]. Il était un fils modèle... trop docile peut-être ?, s'inquiétait Sophie. Fannie, de son côté, était ravie de « jouer à la poupée » avec cette petite sœur qu'elle adorait et qui lui faisait toujours la fête lorsqu'elle arrivait. Cette vie familiale lui plaisait bien alors qu'elle vivait seule avec sa mère l'autre moitié du temps. Mais à l'adolescence, elle s'est montrée plus rebelle avec Sophie qui supportait mal la vue du désordre et qui exigeait plus sur le plan de l'hygiène personnelle que sa propre mère.

Une demande de Sophie à André pour équilibrer davantage la contribution de chacun aux frais d'Émile a ravivé les frustrations d'André qui devait composer avec la responsabilité de deux autres enfants. C'est alors qu'il a proposé à Émile de venir habiter avec eux en famille recomposée, une semaine sur deux. Émile aurait même sa chambre dans la nouvelle maison. Il croyait rêver... mais des doutes persistaient dans son cœur blessé par de trop nombreuses déceptions. Son père avait tenu des propos dévalorisants au sujet de Sophie. Comme le ton avait monté et qu'Émile défendait sa mère, André l'avait giflé. Pendant des mois, Émile avait gardé cet événement secret. Il était très préoccupé par le choix qu'il avait à faire. Sophie ne voulait pas le contraindre à choisir entre son père et elle. Ne sachant plus très bien quel était le meilleur intérêt de son fils, elle a consulté. À cette époque, Émile vivait aussi des difficultés d'intégration au collège et avait commencé à fréquenter des jeunes délinquants et à fumer de la « mari » en cachette. Ses résultats scolaires, jadis supérieurs à la moyenne, avaient chuté. Il était devenu arrogant avec ses professeurs et ses parents. Il semblait déprimé et tenait des propos alarmants. Sophie a maintenu le dialogue et lui a offert aide et écoute. Elle comprenait aussi qu'Émile doive s'opposer fortement à elle s'il voulait s'affranchir de ce lien si serré qui avait été le leur pendant des années. Après réflexion, Émile a choisi de ne pas aller habiter chez son père à temps partiel. Il a vécu le deuil d'une relation qu'il aurait tant aimé vivre avec son père et les enfants d'André, qu'il considérait comme son frère et sa sœur. Comme son père était peu enclin à faire les premiers pas, les contacts se sont espacés à nouveau, dans le silence. Les mois ont passé puis les années. La tristesse a doucement cédé sa place à la résignation puis à l'indifférence... du moins en apparence. Et Émile est sorti de sa phase d'opposition, soutenu par la confiance responsabilisante de Sophie et sa nouvelle complicité avec Christian.

Dans ce récit, famille recomposée et garde partagée sont deux réalités qui se croisent et se présentent différemment pour chaque membre de la famille. Fannie a connu une expérience de recomposition familiale chez son père seulement. Elle a eu la chance de conserver un lien significatif avec ses deux parents et de bénéficier de leur collaboration parentale. Elle a elle aussi éprouvé des difficultés à l'adolescence et a connu un peu plus de tensions avec la conjointe de son père durant cette phase. L'arrivée de sa sœur a été bénéfique pour elle.

Émile a connu la recomposition familiale chez ses deux parents et a eu des frères et sœurs auxquels il s'est attaché. Il a aussi vécu des pertes et des déceptions à cause du désengagement de son père à son égard. Si son histoire est émouvante, elle laisse toutefois plusieurs questions sans réponses. Ses difficultés, plus sérieuses que celles de Fannie, sont-elles liées au contexte de rupture de ses parents ? À l'absence de son père et au sentiment d'abandon ? À la famille recomposée ? À sa grande sensibilité ?

« On ne peut pas vraiment savoir, avoue Sophie. Probablement à tout ça ! »

Et si elle accepte aujourd'hui de partager son expérience et celle de sa famille, c'est qu'elle croit que :

> « Le partage est le meilleur réconfort qu'on puisse avoir ! De savoir qu'il y en a d'autres qui vivent des choses semblables, que nous ne sommes pas les seuls, que d'autres ont réussi à passer au travers, ça peut donner de l'espoir ! Nous sommes tous des êtres humains semblables, après tout ! »

Et en cas de doute sur l'option de partage du temps à privilégier avec l'autre parent, Sophie glisse ce judicieux conseil :

> « Écoute, observe ton enfant et sois attentif à ce qu'il ressent. Il sera toujours le meilleur indicateur de cette nouvelle organisation de vie. »

L'essentiel

Si le parent est très proche de ses enfants et désire poursuivre son engagement auprès d'eux, il est plus que probable que le choix du nouveau conjoint tiendra compte de cette dimension. Il est important d'avoir des attentes réalistes et de bien préparer cette réorganisation familiale. Je crois que ce n'est qu'à cette condition que la famille recomposée pourra intégrer la résidence alternée sans trop de heurts.

Et comme le dit si bien le poète québécois Gilles Vigneault : « Laissons au temps le temps de faire son temps. »

Quand l'homoparentalité ajoute à la complexité de la rupture ou de la recomposition familiale

Il y a une vingtaine d'années, j'ai rencontré Viviane, qui soulignait alors avoir une relation amicale avec son ex-conjoint, Robert, et une belle collaboration pour élever leur fils Antoine. Elle mentionnait :

> « On peut vivre ouvertement l'un face à l'autre : moi, ma relation homosexuelle, lui, sa relation hétérosexuelle. »

À cette époque, il était très peu fréquent ou, à tout le moins, peu dévoilé publiquement que l'homosexualité puisse être un motif ou un élément associé à la rupture conjugale. Viviane mentionne d'ailleurs aujourd'hui qu'elle n'avait parlé de son orientation sexuelle à personne au moment de sa rupture. Elle souligne qu'il n'y a eu aucune difficulté dans la réorganisation familiale pour son fils, son ex-conjoint et elle parce qu'elle avait choisi une femme comme compagne. Son ex-conjoint confirme ses perceptions.

Elle ajoute :

> « Si je ne regarde que l'aspect de la garde partagée, mon statut de femme gaie ne m'a nui en aucune façon. Du moins, c'est le souvenir que j'en ai [...] Je crois sincèrement que si une personne est foncièrement heureuse dans son choix de vie, quel qu'il soit, elle rend les autres heureux autour d'elle. »

Vingt-deux ans plus tard, le contexte social a évolué, mais certains préjugés perdurent ! Des gens associent homosexualité et pédophilie... D'autres ont des homosexuels une image caricaturale de « papillons volages », même si des recherches[10] ont démontré que la majorité d'entre eux vivent en couple, désirent une relation stable, des enfants et pouvoir afficher fièrement leur bonheur d'être parents.

Saviez-vous que...

Au Québec comme ailleurs, il a fallu beaucoup de temps pour que soient officiellement reconnus les droits des conjoints de même sexe, notamment le droit d'adopter des enfants. Avant 1970, en Amérique du Nord, l'homosexualité faisait partie des diagnostics de maladie mentale[11] ! Il a fallu l'intervention du premier ministre d'alors, Pierre E. Trudeau, le 14 mai 1969, pour que l'homosexualité ne soit plus considérée comme criminelle selon le Code criminel du Canada.

Pour toutes ces raisons historiques et sociales, il semble que l'enjeu de l'orientation sexuelle vienne encore parfois ajouter aux émotions postruptures, voire à la complexité du choix d'un modèle de coparentalité ou d'une recomposition familiale. On parle ici d'homoparentalité puisqu'il s'agit « du fait pour des personnes se reconnaissant comme gays ou lesbiennes de concevoir ou d'élever des enfants[12]. »

Le témoignage de Christiane et de Maurice

Ce récit illustre bien le chemin parfois ardu pour atteindre la collaboration parentale dans un contexte d'homoparentalité.

Après 16 ans de mariage et une première rupture initiée par Christiane, c'est Maurice qui exprime à son tour le désir de se séparer. La décision, précise-t-il, n'est pas uniquement liée à son orientation sexuelle, mais il sait que lorsque Christiane l'apprendra, ce motif sera terrible en termes d'estime et d'image de soi.

Leur fille Mélanie, alors âgée de 16 ans, et leur fils Pierre, âgé de 14 ans, réclament à nouveau la garde partagée. Bien que Christiane aurait préféré les avoir auprès d'elle à temps plein en cette période turbulente de l'adolescence, elle valorise le lien père-enfants et elle ne veut pas forcer ses ados à rester avec elle. Elle accepte la modalité de l'alternance, mais se rappelle toutefois aujourd'hui :

« Je ne voulais pas de la garde partagée ! Je me faisais enlever ma raison de vivre qui était de m'occuper de mes enfants ! »

Après quelques semaines d'alternance entre les domiciles de ses parents, Pierre découvre l'homosexualité de son père. Les enfants et Christiane sont bouleversés. Les jeunes refusent cependant que leur mère intervienne dans la vie privée de leur père. Christiane reconnaît maintenant leur sagesse, mais à l'époque, elle était très perturbée :

« Quitter sa femme pour vivre avec une autre, plus belle et plus jeune, c'était accepté par la société, à cette époque, mais la quitter pour un autre homme, ça non ! [...] J'étais prise dans ça, comme un carcan. Je repassais le film de ma vie. Est-ce que j'ai été juste un prétexte ? Ou une " mère porteuse " lorsque Maurice a voulu des enfants ? Depuis quand est-il homosexuel ? »

Bien que Christiane sache que l'orientation sexuelle n'influe en rien sur les capacités parentales d'un homme ou d'une femme, plusieurs questions l'assaillent durant les premiers mois de la réorganisation familiale :

« Maurice peut-il avoir des comportements déplacés avec son conjoint devant les enfants ? Qu'en est-il de leur intimité sexuelle ? Comment se comporte ce conjoint plus jeune en présence de nos enfants maintenant adolescents ? Quel modèle sexuel leur est-il offert ? Et comment les jeunes se sentent-ils dans tout ça ? »

Christiane consulte professionnels et amis. Elle lit, dit-elle, tout ce qui touche à l'homosexualité et visionne films et documentaires. Quand elle se sent capable de « porter le regard des autres » sur sa réalité de femme, elle peut enfin se libérer et parler ouvertement de l'homosexualité de Maurice.

« Ça m'a pris beaucoup de temps à le dire. J'avais honte, trop honte. Un peu comme une femme violée. Je devais bien avoir une tare, y être pour quelque chose ? Je ne me sentais plus belle ni désirable. J'avais attiré un homosexuel dans mon lit ! J'imaginais la réaction de dégoût des autres, et leur pitié, comme si c'était la pire chose qui puisse arriver... Mais c'était mes peurs à moi. Et Maurice ne disait pas, lui non plus, qu'il était homosexuel. »

Au début, les parents ont de la difficulté à se concerter pour bien remplir leur rôle d'éducateur. Christiane maintient la communication avec ses adolescents, mais Maurice n'est pas surpris que les deux semaines chez lui soient perçues comme un congé, surtout pour Mélanie, à cause des tensions mère-fille. Il précise cependant qu'il ne laisse jamais les jeunes sans surveillance. Quand Rémi lui demande de venir habiter avec lui, Maurice accepte, mais tient à clarifier ses attentes quant au rôle de chacun :

« Moi, j'ai des enfants, je suis un père de famille. Jamais je ne passerai à côté de ça ! Ne me demande pas de choisir. Si tu veux être ami avec eux, bravo ! Mais, surtout, n'essaie pas d'être le parent ou de remplacer leur mère. »

L'encadrement nécessaire aux enfants n'est toutefois pas défini de la même manière par les parents et leur collaboration est précaire. Il faut que leur aînée commette un délit pour qu'ils fassent équipe à nouveau.

Par ailleurs, Rémi respecte énormément la place de Christiane comme coparent. Il n'est ni jaloux ni possessif. Maurice souligne qu'il l'aide beaucoup à cheminer puisque Rémi connaît et assume son homosexualité depuis l'adolescence, sans pour autant être militant pour la « cause ».

Par contre, le sujet de l'homosexualité reste tabou dans les deux familles. Christiane mentionne que durant les deux semaines où les enfants sont avec elle, l'orientation sexuelle de leur père n'est jamais abordée.

« Ils savaient que j'aurais grimpé dans les rideaux ! », dit-elle, consciente que la tension qu'elle vivait à cet égard faisait œuvre de censure dans les propos des jeunes. Du côté de Maurice, le même silence régnait:

«Rémi ne s'affiche pas comme homosexuel et ne parle pas de ça aux enfants. On n'a jamais été exhibitionnistes ni exigé d'être reconnus comme homosexuels. [...] On n'en a jamais parlé. Jamais! Je dirais qu'on ne voulait pas en parler, ni d'un côté ni de l'autre.»

Malgré cela, Maurice ne se souvient pas avoir constaté de changement dans l'attitude des enfants quant à son rôle paternel. Mais il précise:

«Je sentais que Mélanie était beaucoup plus à l'aise que Pierre, évidemment parce que c'est une fille. Pierre amenait ses amis chez nous... Je n'ai jamais senti qu'il s'empêchait de faire des choses parce que je vivais en couple avec Rémi. Mais je me mettais à sa place. Je comprenais qu'il ne devait pas toujours être à l'aise. Je m'imaginais... si mon père avait été homosexuel?»

Christiane reconnaît avoir dû combattre des préjugés, bannir les termes de «pervers» et de «pédophile» et toutes les fausses croyances associées à l'homosexualité. Peu à peu, l'idée que Maurice se comportait probablement avec son nouveau conjoint comme il s'était comporté avec elle s'est imposée. Il n'était pas du genre exhibitionniste ni romantique à outrance... Aussi était-il absurde de craindre des «effusions d'affection excessives et inappropriées». De son côté, Maurice a également eu l'occasion d'éliminer quelques inquiétudes personnelles. Il relate à cet égard:

«J'ai vu qu'un père gai, même si son fils est le plus beau du monde, n'a aucune envie sexuelle envers lui. C'était un constat rassurant parce que j'avais certaines craintes. C'est la même chose avec Mélanie. Même si je la trouve très belle, il n'y a pas de désir. Comme pour les pères hétéros. C'est sacré pour moi!»

Avec le temps, Christiane a réussi à tout démêler: sa colère et sa peine de femme blessée, ses questionnements sur son vécu et celui de Maurice, l'impact de la garde partagée et ses craintes concernant les capacités parentales de Maurice de même que les préjugés sur les pères homosexuels.

Certains événements ont marqué ce processus de guérison. Ainsi, quand Maurice est parti en voyage avec Rémi et les deux enfants, Christiane, valorisant ce rapprochement père-enfants, a écrit une lettre touchante à Maurice, qu'il a conservée précieusement. Le fait de se retrouver lors de moments intenses comme le décès des parents de Christiane et la naissance de leur petite-fille, Delphine, a aussi eu un effet pacificateur.

De plus, Christiane a découvert en Rémi un être sensible et merveilleux. Elle l'a vu prendre soin de Delphine, lui donner le bain, être attentif au bébé, partager cette joie avec Maurice et elle.

Reste-t-il des questions sans réponses pour Christiane ? Elle conclut ne plus avoir besoin de savoir. Maurice et Christiane sont maintenant deux fois grands-parents. Des « rituels » en famille ont même été instaurés à Noël et en été. Ils définissent aujourd'hui leur relation comme étant très affectueuse, mais non sexuelle. Christiane dit :

« Maurice pourrait passer dans le feu pour me venir en aide. »

Et Maurice n'hésite pas à ajouter :

« Christiane est ma meilleure amie. On se connaît tellement ! Mes *chums* homosexuels se moquent de moi avec ça. Moi, je trouve que je suis un être très chanceux. J'ai ma relation avec mes enfants, avec mes petits-enfants et avec Christiane. »

Il est réconfortant de savoir qu'une rupture aussi « orageuse » puisse être suivie d'une entente qu'on pourrait qualifier « du tonnerre » !

On pourrait même croire que ce récit illustre cette pensée d'un auteur inconnu : « Être en paix avec soi-même est le plus sûr moyen de l'être avec les autres. »

Saviez-vous que...

Des recherches menées en France, en Norvège et aux États-Unis ont comparé le développement des enfants dans les deux types de famille (homosexuelle et hétérosexuelle) et ont conclu que le développement des enfants est le même et ne présente pas de particularités. Des chercheurs et des cliniciens[13] avancent l'hypothèse que le fait d'être élevé par des parents de même sexe importe beaucoup moins que les capacités et les compétences de chaque parent, peu importe leur orientation sexuelle.

Parmi les risques au plan social, des enfants conscients d'une certaine marginalité auront peut-être tendance à cacher leur réalité pour assurer leur protection, et celle de leurs parents, face aux jugements des autres. D'autres pourraient s'isoler dans le silence ou le mensonge. On sait aussi que, dans les situations conflictuelles de rupture, les enfants sont quelquefois pris à témoin ou incités à prendre parti. Ces alliances pour défendre l'un ou l'autre des parents, peu importe le sujet du litige, entraînent de pénibles conflits de loyauté. L'alternance entre deux types de famille, homosexuelle et hétérosexuelle, peut-elle accentuer ces tensions ou, au contraire, faciliter la normalisation ?

Dans les deux exemples cités précédemment, les ex-conjoints, Robert et Christiane, n'ont pas fait de l'orientation sexuelle de Viviane et de Maurice un obstacle à la garde partagée et n'ont pas empêché les contacts des enfants avec le parent homosexuel, au contraire. L'âge et le profil des enfants (Antoine, Mélanie et Pierre) étaient aussi très différents. J'ai par ailleurs rencontré en médiation des parents très perturbés par ce contexte de séparation. L'homosexualité de l'un des parents suscitait beaucoup d'animosité et interférait dans le plan parental. Parfois, l'humiliation de l'un se frappe au sentiment de libération de l'autre qui « sort du placard » et a envie d'en parler ouvertement, notamment lorsqu'il est question de jeunes enfants. Dans ces cas, l'homosexualité devient comme une « cause publique » qui ravive les blessures de celui ou celle qui a été laissé(e). Ces divers exemples peuvent donner quelques pistes de réflexion sur la complexité de ces enjeux et ouvrir des avenues de recherche. Il faudra aussi éventuellement tenir compte dans ces recherches des enfants nés dans des familles homosexuelles grâce aux nouvelles technologies (qu'on pense au don de sperme, au don d'ovule, aux mères porteuses[14]) ou ayant été adoptés[15].

L'essentiel

Une constante s'impose: chaque parent est différent. Ce qui compte vraiment pour l'enfant et son développement, ce sont à la fois les capacités de ses parents à jouer leur rôle auprès de lui, la qualité de la relation qu'ils entretiennent avec lui et la qualité de la relation parentale.

Une affaire d'intelligence de cœur, quoi!

Boîte à outils

Je vous propose ici trois outils:

- Un test d'autoévaluation[16] face à la résidence alternée;
- Un résumé des facteurs ayant une influence sur l'adaptation de l'enfant;
- Une liste d'attitudes parentales nuisibles.

Test d'autoévaluation

Le test qui suit vous permet de tracer votre profil d'intérêt, d'attitudes et d'aptitudes envers cette modalité de plan parental qu'est la résidence alternée. Il peut servir indirectement à vous situer sur la trajectoire entre couple et équipe parentale.

Vous gagnez à répondre spontanément aux questions qui vous concernent individuellement et à vérifier avec les principaux intéressés lorsque les sujets de l'ex-conjoint, du conjoint actuel et de l'enfant sont abordés. Le masculin est utilisé dans l'unique but d'alléger le texte. Le test est suivi d'un guide de compilation et d'analyse.

1. Je suis très motivé à appliquer la garde partagée. OUI ❑ NON ❑
2. Mon ex-conjoint est très motivé à appliquer ce type de garde. OUI ❑ NON ❑
3. Mon enfant est d'accord pour passer du temps avec chacun de nous, en alternance. OUI ❑ NON ❑
4. Nos familles et nos amis (ou conjoints) nous encouragent à l'entreprendre. OUI ❑ NON ❑
5. Mon ex-conjoint et moi avons des idées assez semblables sur l'éducation des enfants. OUI ❑ NON ❑

6. Nous nous faisons mutuellement assez confiance comme parents. OUI ❑ NON ❑
7. Nous n'avions pas souvent de disputes au sujet de l'argent. OUI ❑ NON ❑
8. Je suis prêt à demeurer dans la même ville que mon ex-conjoint. OUI ❑ NON ❑
9. Je me sens capable de résider dans le même quartier ou, dans le cas contraire, je suis prêt à assumer le transport de mon enfant à l'école ou au milieu de garde. OUI ❑ NON ❑
10. J'accepte ou j'accepterais que mon ex-conjoint partage sa vie avec quelqu'un d'autre et que mon enfant soit proche de cette personne. OUI ❑ NON ❑
11. Mon nouveau conjoint se montre ouvert à l'idée que mon enfant vive avec nous une grande partie du temps. OUI ❑ NON ❑
12. Je désire assumer avec mon ex-conjoint le suivi de mon enfant à l'école ou en milieu de garde. OUI ❑ NON ❑
13. Je suis prêt à partager avec mon ex-conjoint l'ensemble des responsabilités parentales. OUI ❑ NON ❑
14. Je suis prêt à entrer en contact avec mon ex-conjoint au sujet de mon enfant et à ne pas utiliser ce dernier comme messager. OUI ❑ NON ❑
15. Je sais que mon ex-conjoint n'a pas les mêmes exigences envers notre enfant et je suis prêt à composer avec ces différences. OUI ❑ NON ❑
16. Je fais confiance à la capacité d'adaptation de mon enfant et je souhaite développer son autonomie. OUI ❑ NON ❑
17. Je suis capable de considérer l'autre non comme mon ex-conjoint, mais comme le parent de mon enfant. OUI ❑ NON ❑
18. Nous connaissons nos situations financières et recherchons une entente juste et équitable. OUI ❑ NON ❑
19. J'encourage mon enfant à nous aimer librement tous les deux. OUI ❑ NON ❑
20. Je suis prêt à passer du temps sans mon enfant pour qu'il puisse profiter de l'apport de son autre parent. OUI ❑ NON ❑

21. J'aime passer du temps seul ou avec des amis et j'ai déjà une vie sociale ou professionnelle parallèle à ma vie de parent.
OUI ❑ NON ❑

Compilation et analyse

Si vous avez répondu « oui » :

Entre 15 et 21 fois :

Vous aurez sûrement de la facilité à appliquer la résidence alternée si elle répond aux vœux de chacun.

Entre 10 et 15 fois :

Examinez les questions pour lesquelles vous avez répondu « non ». Ces éléments risquent de créer des tensions. Certaines attitudes peuvent être modifiées pour augmenter vos chances de succès.

Entre 5 et 10 fois :

Ce minimum de conditions favorables laisse perplexe. Est-ce que certaines améliorations seraient possibles ? La motivation vient parfois à bout de bien des problèmes…

Entre 0 et 5 fois :

Avez-vous songé à une autre modalité de garde ? Il est malheureusement probable que, même en optant pour la résidence principale avec un parent, votre situation parentale soit actuellement assez conflictuelle ou que le processus de deuil soit particulièrement difficile à traverser. Pensez-vous que des services professionnels pourraient vous aider à dénouer certaines impasses ?

Remarque : Une démarche thérapeutique pour mieux se connaître et mieux gérer ses émotions gagne à précéder le projet de recomposition familiale.

Facteurs d'adaptation de l'enfant à la séparation parentale

Le résumé suivant est tiré des recherches de Francine Cyr et Geneviève Carobene[17]. Leur synthèse illustre bien la diversité et la complexité des réalités lors d'une séparation ou d'un divorce et nous invite à la prudence avant de généraliser ou de lier une cause à un effet. Elle rappelle que l'adaptation de l'enfant est le résultat d'une interaction multiple entre des facteurs de vulnérabilité (appelés aussi « facteurs de risque ») et des facteurs de protection (également appelés « forces, ressources ou facteurs de résilience »).

Il y a trois grandes catégories de facteurs :

- Les **caractéristiques personnelles** de chaque parent (sexe, détresse, personnalité) et de l'enfant (adaptation avant la rupture des parents, âge, sexe, tempérament) ;
- Les **caractéristiques relationnelles**, à savoir les relations de chaque parent avec l'enfant (qualité de la relation et pratiques parentales) et la relation entre les deux parents (conflits interparentaux, collaboration) ;
- Les **variables environnementales** (revenu, stress, soutien social).

Ces éléments sont reliés et dynamiques. C'est d'ailleurs pourquoi le niveau d'adaptation varie d'un enfant à l'autre, même chez des frères ou des sœurs. L'âge de l'enfant ou le conflit entre ses parents ne peut pas tout expliquer en soi. Le portrait s'éclaire quand on considère également les ressources personnelles et sociales du jeune et de sa famille de même que l'impact de tous les aspects positifs et négatifs combinés.

À titre d'exemple, les difficultés et les forces antérieures du jeune, son mode de fonctionnement, la perte ou non de son réseau d'amis et de ses activités, la modification ou non de son niveau de vie, le nombre d'agents stresseurs pour lui et pour ses parents (par exemple, un déménagement), les réactions de chacun à la réorganisation familiale, la présence ou non de confidents sécurisants, la possibilité ou non de collaboration parentale, etc. joueront probablement eux aussi un rôle dans son adaptation. Ces facteurs varieront aussi dans le temps.

Vous pouvez vous inspirer de cette approche pour mieux cerner les forces et les faiblesses jouant un rôle dans l'adaptation de votre enfant aux impacts de la rupture et de la réorganisation familiale.

Attitudes de parents séparés qui nuisent aux enfants

Pour terminer, voici « quelques feux rouges » à surveiller et à éviter :

- Par toutes sortes de paroles ou d'insinuations, décourager l'enfant d'aimer l'autre parent, d'être avec lui ou de le contacter.
- Mentionner à l'enfant ou lui faire sentir qu'il sera moins aimé s'il ressent ou exprime de l'affection envers d'autres adultes.
- Menacer l'enfant de le renvoyer ou de le quitter s'il ne se conduit pas comme il faut.

- Utiliser l'enfant comme messager auprès de l'autre parent.
- Insinuer que l'autre parent est mauvais, parler contre lui/elle.
- Souligner les ressemblances négatives entre l'enfant et son autre parent.
- Confondre ses émotions négatives envers l'ex-conjoint avec celles que l'enfant éprouve face à son autre parent.
- Faire des changements importants dans la routine (comme un déménagement, un changement d'école, l'arrivée d'un nouveau conjoint, etc.) sans préparer l'enfant.
- Tracasser l'enfant avec les difficultés financières, les problèmes légaux, les pensées suicidaires, les problèmes sexuels ou personnels.
- S'attendre à ce que l'enfant nous réconforte à la place d'adultes ou de professionnels.
- Se battre ou « s'engueuler » devant l'enfant, lui parler des conflits conjugaux.
- Faire semblant que tout va bien, nier la peine ou la colère.
- Laisser à l'enfant le poids des décisions importantes comme la séparation, le lieu de résidence, la présence ou non d'un nouveau conjoint, etc.

Remarque : Il est « normal » qu'en situation de grand stress, le parent soit temporairement moins attentionné et disponible pour l'enfant. S'il y a trop de « feux rouges », il serait sage d'aller chercher de l'aide.

Notes

1. Helen EXLEY. *Et doucement vient la sagesse*, Bierges (Belgique : Éditions Exley, 2001.
2. Francesco ALBERONI. *L'amitié*. Paris : Éditions Ramsay, 1985, p. 86.
3. INSTITUT DE LA STATISTIQUE DU QUÉBEC, 2005.
4. Les travaux de Sylvie Drapeau montrent que la qualité de la relation parent-enfant nécessite du temps de qualité, du temps diversifié (par exemple loisirs, devoirs, câlins) et du temps spontané. Voir M-C. SAINT-JACQUES, S. DRAPEAU et C. PARENT *et al. Conséquences, facteurs de risque et de protection pour les familles recomposées. Synthèse de la documentation*. Ressources humaines et Développement des compétences Canada, Direction de la recherche en politiques, 2009.
5. Marie-Christine SAINT-JACQUES et Claudine PARENT. *La famille recomposée : une famille sur un air différent*, Montréal : Éditions de l'Hôpital Sainte-Justine, 2002, p. 77.
6. *Idem*. p. 26.

7. À titre d'exemple au Québec : la FAFMRQ (Fédération des associations de familles monoparentales et recomposées du Québec) - www.fafmrq.org/federation et l'ASEC (Association des secondes épouses et conjoints).
8. Les enfants inventent parfois de jolies expressions comme « frère ou sœur de cœur » plutôt que « demi-frère ou sœur ». Comme l'écrit Sigrid BAFFERT : « T'as déjà vu une moitié de frère, toi ? ». *C'est toujours mieux là-bas.* Paris, Éditions de la Martinière Jeunesse, 2004 , p. 155.
9. Diane DRORY. *La famille idéale... ment.* Bruxelles. Éditions Soliflor, 2008, p. 40.
10. Charlotte PATTERSON, chercheuse à l'Université de Virginie aux États-Unis.
11. Voir le DSM- IV – *Manuel diagnostique et statistique des troubles mentaux.* Paris. Masson, 2004.
12. Stéphane NADAUD. *Homoparentalité.* Paris. Éditions Fayard, 2002.
13. Stéphane NADAUD, pédopsychiatre français ; Danielle JULIEN, Université du Québec à Montréal ; André MASSE, pédopsychiatre au CHU Sainte-Justine à Montréal.
14. Diane EHRENSAFT. *Momies, Daddies, Donors, Surrogates : Answering Tough Questions and Building Strong Families.* New York. Guilford Publications, 2005.
15. Martine GROSS et Thomas GOMART. *Fonder une famille homoparentale.* Paris, Ramsay, 2005. Les auteurs apportent des réponses à la façon de gérer une famille construite en coparentalité qui peut comprendre jusqu'à quatre parents.
16. Le test d'autoévaluation pour les aspirants à la garde partagée/résidence alternée que je vous propose est également disponible en format PDF sur les sites Web suivants :
www.editions-chu-sainte-justine.org et www.editionscram.com/editions
17. M-C. SAINT-JACQUES et coll. *Séparation, monoparentalité et recomposition familiale : bilan d'une réalité complexe et pistes d'action.* Sainte-Foy. Presses de l'Université Laval, 2004.

Chapitre 4

Partager sans se déchirer

Celui qui sourit plus qu'il n'enrage
est toujours le plus fort.
Sagesse japonaise[1]

Les enseignements de Salomon

Pour amorcer ce chapitre traitant du partage, je vous parlerai d'abord de ce bon roi Salomon à qui l'on fait porter la fausse paternité de bien des jugements rapides, mais combien éloignés de sa sagesse !

Salomon, fils et successeur de David, était roi d'Israël de 970 à 931 avant Jésus-Christ. Le Premier livre des Rois raconte le différend qui opposa deux prostituées vivant sous le même toit et ayant chacune mis au monde un enfant. Lorsque l'un des enfants mourut, les deux femmes vinrent voir le roi, qui était reconnu pour sa sagesse. Elles se disputaient l'enfant survivant. Le roi Salomon reprit leurs propos : « Celle-ci dit : " Voici mon fils qui est vivant et c'est ton fils qui est mort ! " Et celle-là dit : " Ton fils est celui qui est mort et mon fils est celui qui est vivant ! " »

Il ordonna qu'on lui apporte une épée et dit : « Partagez l'enfant vivant en deux et donnez la moitié à l'une et la moitié à l'autre. » La femme dont le fils était vivant s'adressa alors au roi, car sa pitié s'était enflammée pour son fils. Elle dit : « S'il te plaît, Monseigneur ! Qu'on lui donne l'enfant, qu'on ne le tue pas ! » Mais l'autre femme disait : « Il ne sera ni à moi ni à toi, partagez ! » Alors le roi prit la parole et il dit de ne pas tuer le nourrisson, mais de le donner à la première femme. Celle-ci avait préféré renoncer à l'enfant plutôt que de le voir sacrifié et, en elle, le roi avait reconnu la « vraie mère ».

Dans ce litige, Salomon doit user d'un subterfuge pour discerner la vérité dans le discours des deux mères. C'est l'amour désintéressé de la vraie mère qui sert alors de preuve. Ce célèbre épisode de la vie du roi a donné lieu à l'expression « jugement de Salomon » qui signifie que, face à l'impossibilité d'établir la vérité dans un litige, la décision prise partage équitablement les torts entre les parties.

Ce texte biblique est riche d'un enseignement beaucoup plus grand que la conclusion du partage égalitaire. Dans des conflits aussi émotifs que le partage du temps auprès des enfants après la rupture conjugale, la véritable sagesse est loin de se réduire au dicton populaire de « couper la poire en deux ». Au contraire, cet exemple célèbre semble souligner l'importance de ne pas régler trop vite la question et de bien éclairer les motivations réelles sous-jacentes aux demandes de chacun, de même que la nature du lien affectif et de l'engagement préalables. C'est d'ailleurs ce que Salomon a obtenu par sa brillante stratégie. Peut-être nous incite-t-il à dépasser les affrontements liés aux droits de chacun pour faire appel à l'amour du parent et à la préoccupation de celui-ci pour le bonheur de son enfant dans un contexte difficile ?

Du connu à l'inconnu, un plan qui évolue

Les parents qui se séparent sont nécessairement aux prises avec la difficile question de la division du temps auprès de leur enfant. La réponse réside beaucoup dans « passer en douceur de ce qui est déjà en place à ce qu'ils souhaitent mettre en place ». La continuité et la constance dans la vie de l'enfant servent alors de fil conducteur.

Ce qui peut être réconfortant, c'est que vous connaissez très bien vos enfants et que vous vivez déjà le quotidien avec eux. Dites-vous aussi que la résidence alternée n'a pas à prévoir toutes les éventualités futures, puisque c'est impossible ! Et comme ce plan parental vous appartient, il pourra évoluer avec les besoins des membres de la famille et se moduler aux changements au fur et à mesure, tout en fournissant un cadre sécurisant et clair qui n'a pas à être renégocié à tout propos.

Nous verrons dans ce chapitre différents modèles de division du temps de même que les avantages et les inconvénients qui y sont associés. Il ne s'agit pas, comme le craignent à juste titre certains parents, de faire des essais à l'aveuglette et que l'enfant en paie le prix. Des balises peuvent être mises en place pour s'assurer que la réorganisation familiale se passe le mieux possible. Même si les changements drastiques sont évités à l'enfant, les parents doivent, dans son intérêt, demeurer attentifs à ses réactions tout en continuant à se partager leurs observations. Ils peuvent alors tenir compte du passé sans en être prisonniers.

Au Québec, les parents peuvent bénéficier de services de médiation subventionnés tant pour établir leur plan parental que pour le réviser. Comme le soulignent deux médiatrices françaises d'expérience[2], il n'est pas nécessairement souhaitable que les accords soient durables, mais plutôt que l'esprit et les méthodes expérimentés en médiation par les parents le soient. L'accent est mis sur une formule « vivante » qui évolue avec les besoins changeants, au lieu d'une formule « gravée dans le marbre » ou « prise dans le ciment ». Que ces ententes soient bonifiées par les parents eux-mêmes ou avec l'aide d'un médiateur, on vise ici la préservation du climat de collaboration qui en constitue la base.

Une règle d'or : partager des responsabilités et non juste du temps

Une façon de répondre à la question du partage du temps sans s'affronter au niveau des droits est de revoir d'abord la division des responsabilités avant la rupture et les différentes formes d'engagement des parents auprès de l'enfant puis d'envisager ensuite le modèle qui constituerait la meilleure transition pour l'enfant. Cet exercice est un peu plus exigeant que de calquer un modèle extérieur, mais il a plus de chances de refléter vraiment votre situation. **Plus votre plan sera à votre image et respectueux des besoins de l'enfant, plus il aura de chances de réussir.** Cela ne signifie pas que la division antérieure des responsabilités n'est pas modifiable, mais, avec l'accord de l'autre parent, vous devez préciser comment se feront ces changements et à quel rythme.

Cette règle d'or peut prévenir certains conflits, surtout s'ils sont suscités par une lutte de pouvoir ou un désir d'être reconnu par l'autre comme « un bon père » ou « une bonne mère ». Au lieu de procéder d'abord au calcul du nombre de jours ou d'heures avec chaque parent à l'aide de « la calculette au coin de la table », on débute avec la description des activités parentales et des disponibilités de chacun. Une grille horaire peut être remplie à partir de l'agenda de l'enfant et de celui des parents, incluant les détails pertinents selon l'âge de l'enfant, ses occupations et ses besoins particuliers. Cette approche centrée sur le bien-être de l'enfant peut ainsi tenir compte de l'investissement et de la qualité des liens de chaque parent avec ce dernier, ainsi que de la disponibilité réelle de chacun pour accroître ou non le nombre de ses responsabilités. Comme nous l'avons vu précédemment, le plan parental se dessine alors à partir du connu pour aller vers le moins connu en laissant place aux apprentissages et aux ajustements.

C'est ainsi que peuvent être précisées diverses exigences parentales telles que l'aide aux devoirs, les visites et le suivi avec des professionnels au service de l'enfant (par exemple l'orthopédagogue, la travailleuse sociale, le pédiatre, le dentiste), les activités scolaires où les parents sont mis à contribution (par exemple pour des visites au musée ou des sorties spéciales de plein air), l'inscription, le transport et l'accompagnement de l'enfant à une ou des activités sportives ou de loisirs (par exemple des cours de natation avec un parent, des pratiques ou des compétitions de soccer, le club d'échecs) de même que les réunions à l'école ou au milieu de garde de l'enfant, incluant la remise du bulletin, les jours de congé scolaire ou de maladie de l'enfant ou encore les fêtes, les démonstrations et les spectacles. Cette énumération se veut une illustration de la fameuse question : Qui sera avec l'enfant pour ceci ou cela, qui s'absentera du travail ou terminera plus tôt pour l'accompagner, le soigner ou le garder ? Qui sera là pour lui démontrer qu'il est important aux yeux de ses parents ? Et cette présence ne se traduit pas nécessairement par un nombre de jours ou de nuitées supplémentaires chez l'un ou l'autre parent, mais davantage par une disponibilité bien « incarnée » par les deux parents. Cette coparentalité est la clé de voûte de la résidence alternée. Gilles Tremblay, travailleur social, professeur et chercheur à l'Université Laval, le résume bien :

> « Si la division de temps se fait sans qu'il y ait partage des responsabilités, la garde partagée qui en résulte est simplement de la frime, ou une coquille vide. »

Pour effectuer ce partage des responsabilités parentales par-delà la division du temps, vous trouverez dans la *Boîte à outils, page 123*, un aide-mémoire des dimensions à explorer.

Seuls ou avec l'aide d'un médiateur ?

De plus en plus de parents souhaitent « régler à l'amiable » les questions liées à leur séparation plutôt que d'utiliser le système judiciaire adverse.

Saviez-vous que...

La médiation a des racines anciennes dans différentes cultures et civilisations et elle est utilisée dans des domaines très variés. Dans la majorité des pays occidentaux, la médiation familiale s'est manifestée dès le début des années 1980, dans la foulée d'une remise en question des pratiques traditionnelles de justice, et elle a souvent été portée par l'initiative des travailleurs sociaux et autres représentants des milieux d'intervention psychosociale[3].

Le recours au service de médiation demeure toutefois facultatif[4]. Des parents mentionnent en avoir grandement bénéficié dans la reprise du dialogue et dans l'accompagnement impartial du médiateur « pour ne rien oublier ». Certains croient faussement qu'ils doivent déjà se présenter en médiation avec leurs ententes établies. Le médiateur peut au contraire les aider à explorer leurs besoins, à entrevoir plusieurs options, les analyser et à faire des choix éclairés en toute connaissance de cause. Il arrive qu'au début du processus, les positions de chacun soient polarisées ou que les parents, dans leurs souffrances, se poussent à « bâcler » des décisions importantes dont les conséquences seraient beaucoup plus pénalisantes que prévu. Le médiateur a donc la responsabilité de guider les parents tout en respectant leur autodétermination. Il porte par ailleurs une autre responsabilité cruciale : celle de garder le processus centré sur le meilleur intérêt de l'enfant. Certains médiateurs invitent d'ailleurs les parents à apporter une photographie de l'enfant aux rencontres ou inscrivent son prénom bien en évidence au tableau, comme un rappel du sens de la démarche.

J'aime beaucoup la comparaison de la juge Danielle Richer[5] qui parle des décisions du tribunal en matière familiale en termes « d'uniformes d'armée, à taille unique, toujours trop grands ou trop petits ». La médiation, comme elle le souligne, offre quant à elle aux parents la possibilité de tailler leurs habits sur mesure. J'ajouterais, avec ce que nous avons vu précédemment, qu'au fil du temps, nous avons avantage à reprendre fréquemment tissu, ciseaux et aiguille pour faire les ajustements nécessaires...

Il est toutefois important de distinguer médiation et thérapie. Je citerai ici Lisa Parkinson, une pionnière de la médiation en Angleterre, qui explique de façon nuancée les bénéfices potentiels de la médiation familiale :

> « La médiation vise à aider les parties à atteindre des décisions consensuelles et à régler leurs désaccords. Elle peut aussi les aider à régler leurs conflits. **Mais il serait irréaliste d'attendre qu'un processus habituellement relativement bref puisse dissiper la colère profonde et la douleur d'une relation brisée.** Un conjoint qui se sent complètement abandonné et trahi peut mettre des années pour surmonter émotionnellement la séparation ou le divorce ; certains ne réussissent jamais. La médiation n'offre pas de *counselling* ou de thérapie. Toutefois, le fait de travailler ensemble pour régler certaines questions fait en sorte que des couples sont finalement capables de s'entendre, parfois pour la première fois. Pour certains, cette écoute et cette compréhension mutuelle modifient leurs perceptions et leurs attitudes de façon significative. À un bout du spectre, une entente peut être atteinte sans que les participants n'aient changé leur attitude ou effacé leur colère. À l'autre extrémité, certains couples semblent expérimenter une sorte de catharsis à travers laquelle ils évoluent à partir de récriminations colériques jusqu'à une relation plus forte basée sur la coopération et la confiance[6]. »

L'essentiel

Il apparaît que la médiation, même si elle n'est pas une thérapie, peut avoir des effets thérapeutiques. Elle peut parfois dénouer des impasses et établir des bases de communication et de coparentalité entre les parents. Elle peut aussi faciliter la réorganisation familiale et guider les parents relativement aux meilleures façons de jouer leur rôle dans ce nouveau contexte. Par ailleurs, elle est souvent enrichie ou facilitée par la thérapie individuelle à laquelle elle ne peut se substituer en présence de grandes souffrances.

Qui bougera ? Les parents ou les enfants ?

La formule que les Américains nomment « le nid » offre une constance dans le lieu de résidence de l'enfant — généralement, l'ex-domicile familial. Les oisillons ne bougent pas alors que leurs parents se relaient auprès d'eux selon une fréquence et une durée prévues. Chaque parent possède aussi son propre domicile[7] où il vit lorsqu'il n'a pas les enfants. Ce choix favorise un sentiment de stabilité physique chez les enfants, et c'est habituellement la principale motivation des parents. Certains considèrent cependant que ce choix est coûteux puisqu'il oblige à débourser pour deux ou trois foyers. Par contre, d'autres parents ayant opté pour l'achat d'habitations dans un même immeuble évaluent avoir ainsi fait un choix économique. Déjà exigeant en termes de logistique, il reste que cette option n'est pas toujours facile à gérer pour les parents, surtout avec l'arrivée de nouveaux conjoints. Ce modèle demande à ce que les règles d'utilisation des lieux communs soient bien précisées et respectées (concernant, par exemple, la présence ou non d'étrangers, l'organisation logistique comme l'épicerie, l'entretien ménager, etc.). Certains parents l'appliquent de façon transitoire et y voient l'avantage d'expérimenter les déplacements que les enfants vivront éventuellement à leur tour entre leurs nouveaux domiciles, lorsque la résidence familiale sera vendue. D'autres investissent à long terme dans une formule qu'ils perçoivent comme très pratique, surtout quand la relation avec leur ex-conjoint ne présente pas une source de tensions majeures.

On appelle parfois cette formule « les parents aux valises ». Cette modalité audacieuse peut être appliquée pendant quelques années, même avec des adolescents. Un article sur le sujet paru dans *Elle Québec* et portant le titre humoristique : « Mon ex-mari et moi habitons en alternance une semaine sur deux chez nos enfants » en témoigne[8]. Dans le cas d'habitations rapprochées (par exemple dans un même immeuble), les inconvénients du transport des effets personnels peuvent être réduits, mais des exigences émotionnelles supplémentaires liées à la proximité peuvent s'ajouter. Ici encore, le choix est personnel et il faut trouver « la distance émotive la plus confortable » pour chacun. Il serait sage pour les parents de bien évaluer les exigences « du nid » avant de le proposer aux enfants ou encore de se fixer une période d'essai, si possible.

Avec ou sans valises ?

Que ce soit les enfants ou les parents qui bougent, la question des valises se posera pour ceux qui se déplacent. Et personne ne peut nier qu'il n'est pas commode d'habiter deux foyers. Ni de « vivre dans ses valises ». Le transport et les déplacements sont vécus par ceux qui les expérimentent comme une contrainte de la résidence alternée.

Comment peut-on transiger avec une telle réalité ? Il faut parfois expérimenter divers arrangements pour mieux les évaluer. Jocelyn raconte avoir finalement acheté les bicyclettes en double après avoir subi les énervements du transport. Selon leurs moyens financiers et leur seuil de confort quant à la corvée des déplacements, les parents peuvent opter pour cette solution, qui s'applique bien à certains effets personnels.

Pour ce qui est des vêtements, Martin souligne que même s'il en avait les moyens, il n'achèterait pas deux garde-robes aux enfants. Selon lui, les vêtements sont trop personnels et constituent un élément de l'identité qu'il faut préserver. D'autre part, il hésite à laisser la tâche des valises à ses enfants, en âge pourtant de l'assumer, et explique ainsi les raisons de son hésitation :

> « Je m'occupe discrètement de transporter les valises des enfants, de les défaire et de placer leurs effets dans les tiroirs pour qu'ils n'aient pas l'impression de vivre entre deux valises. »

Josiane raconte avec humour investir une demi-heure à chaque changement de domicile pour jouer au chauffeur et au déménageur. Il est préférable d'adopter une attitude dégagée pour cette tâche qui coïncide avec le départ et l'arrivée des enfants — une transition physique et affective pour les parents comme pour les enfants. Il se peut même que la tension soit alors plus forte et provoque des accrochages malencontreux.

Un autre facteur susceptible de faciliter cette tâche ou d'en amplifier la difficulté vient du tempérament des enfants. Josiane en parle ainsi :

> « Pour ma fille, c'est pénible ! Pour mon garçon, c'est bien ! Il transporte toujours toutes ses choses. Elle, elle en a plus et elle n'a pas d'ordre ; elle est éparpillée. Prévoir n'est pas dans son tempérament. »

Il vaut donc mieux viser l'efficacité plutôt que la perfection et alléger les contraintes et les exigences de rangement au besoin.

Pour ce qui est du sac d'école, des instruments de musique, des équipements de sport et des objets sentimentaux, ils sont uniques. Il n'y a pas d'autres solutions que de les transporter. Parmi ces objets « affectifs », l'enfant peut vouloir garder avec lui et placer à la vue la photo du parent absent. Ce geste symbolique qui montre son droit d'aimer ses deux parents n'est pas toujours bien perçu par celui qui, au plan émotionnel, ne se sent pas prêt à subir cette présence. Il faut dans ce cas trouver un compromis qui respecte les limites de chacun.

Suggestions...

- Il existe, comme vous le savez, différents formats de valises, incluant des « fourre-tout » et des sacs de sport. Il vous appartient donc d'évaluer ce qui convient le mieux à votre enfant selon son âge, ses goûts et sa personnalité.
- Des parents optent parfois pour effectuer le transport des vêtements et des effets des enfants après avoir déposé ces derniers à l'école ou au service de garde. Cette façon de faire peut libérer les enfants dans leurs déplacements et éviter qu'ils se sentent parfois marginalisés.
- Le coût des achats en double vaut parfois l'économie de temps et d'énergie que permet un transport plus léger.

Oups... les oublis

Les oublis des enfants constituent une autre source d'agacement quasi inévitable. En premier lieu, il est préférable de déterminer si l'enfant avait déjà tendance à être distrait du temps de la vie commune, s'il s'agit d'une difficulté récente reliée à l'adaptation ou encore d'une nouvelle habitude qui laisse perplexe. Si d'autres éléments (par exemple de la tristesse ou des malaises physiques) les y incitent, les parents pourraient vérifier, sans interpréter à l'excès, s'il ne s'agit pas d'une demande d'attention de la part de l'enfant ou de son désir de les rapprocher, d'une certaine façon[9].

Par ailleurs, des trucs pratiques peuvent aussi vous faciliter la vie. L'achat en double d'objets comme les boîtes à lunch peut éviter au parent d'avoir à se rendre à l'autre domicile pour les récupérer. Il peut en être de même pour certains vêtements particuliers comme le maillot de bain ou le costume d'éducation physique. Si les parents demeurent à proximité, les enfants peuvent, selon leur âge, aller récupérer l'objet oublié ou convoité. Cela peut les responsabiliser et les inciter à porter plus attention à leurs effets personnels. Des règles peuvent aussi être établies entre les parents pour éviter de multiplier les déplacements et pour respecter l'intimité de chacun.

Dans le même sens, lorsque les enfants sont en âge de se déplacer seuls d'un domicile à l'autre, il peut être avantageux de leur fournir un double de la clé ou d'en placer un dans un endroit accessible situé à l'extérieur du domicile, si la sécurité le permet. En cas d'oubli d'effets personnels, cette précaution peut faire gagner du temps et éviter des déplacements. Certains parents demandent que l'enfant téléphone pour prévenir ou sonne avant d'entrer, par respect de l'intimité, mais d'autres hésitent à appliquer cette règle si différente du temps de la vie commune.

L'essentiel

Souplesse, discernement et disponibilité sont des atouts qui facilitent la vie, et pas seulement lors des oublis…

Quant à l'entretien des vêtements, plusieurs mères disent s'y consacrer davantage que les pères, bien qu'elles souhaitent que la répartition de cette tâche soit plus équitable. Micheline se plaint d'un autre aspect :

> « Luc porte moins d'attention à refaire la valise et à renvoyer les choses. Alors, pendant la semaine qui suit, on doit deux ou trois fois aller chez lui chercher des choses oubliées. " Penses-tu que tu l'as oublié chez ton père ou à l'école ? " On se met à chercher. Je trouve cela très désagréable. »

Dans le modèle traditionnel de répartition des tâches, qui prévaut parfois encore, la mère s'occupe du lavage, du repassage et d'autres besognes connexes. Certaines frictions peuvent survenir entre les mères et les nouvelles conjointes sur cet aspect. Les détails de l'entretien des vêtements qui circulent d'un domicile à l'autre gagnent à être précisés entre les deux parents, quitte, pour chacun, à tenir compte du mode de fonctionnement de son nouveau conjoint.

Pour conclure sur un point positif avec un petit clin d'œil, je vous dirais que pour certains enfants, la résidence alternée a fourni l'occasion de développer l'autonomie et le sens de l'organisation. Mathieu, mon fils, soulignait qu'un des avantages de la garde partagée avait été de le préparer à une carrière internationale: il ne serait plus jamais embarrassé par le problème des valises!

Quelques balises et des exemples

Après avoir déterminé les lieux de résidence, l'organisation matérielle de même que la division des principales responsabilités parentales, les parents doivent décider de la fréquence et de la durée des alternances auprès de l'enfant pour compléter le plan parental correspondant le mieux à leur situation. Ils aimeraient tellement (et les professionnels aussi) pouvoir identifier un modèle éprouvé et certifié leur assurant que l'enfant ne souffre aucunement de l'alternance compte tenu de son âge et de ses besoins. Bien qu'il existe quelques chartes[10], aucun modèle ne saurait garantir à lui seul la sécurité de l'enfant et son parfait développement. Nous avons toutefois des balises pour nous guider et c'est ce que nous allons maintenant aborder.

La séquence de garde la plus populaire et répandue est la division hebdomadaire. Elle convient habituellement bien aux enfants d'âge scolaire. Pour le jour de transition, les préférences sont surtout le vendredi, le dimanche soir ou le lundi. Certains préfèrent commencer la période avec les enfants au début de la fin de semaine, un temps habituellement plus libre des contraintes du travail, de l'école ou du service de garde, alors que d'autres optent pour l'horaire de semaine avec sa routine bien établie et la possibilité de planifier ensemble des activités de loisirs pour la fin de semaine ou des « récompenses », selon le déroulement des jours précédents.

L'alternance hebdomadaire offre l'avantage d'effectuer les tâches et de remplir les exigences du quotidien de même que de pratiquer les loisirs de la fin de semaine de façon continue avec le même parent. Une période de sept jours permet également aux parents de ne pas être trop longtemps éloignés des enfants et de ce qu'ils vivent. Cette période peut, par ailleurs, comme tous les cycles de garde, être entrecoupée d'une visite de l'autre parent, d'un contact téléphonique, par *texto* ou par *webcam* selon l'âge ou l'intérêt de l'enfant ou encore d'une sortie ou d'une activité avec ou chez l'autre parent.

Cette modalité hebdomadaire est si fréquente que des professionnels et des parents en ont fait le synonyme de la garde partagée[11] alors qu'il existe un nombre quasi incalculable de formules tellement il y a de variables, si l'on considère, par exemple, la division des jours de semaine, de fin de semaine et de congés en plus de toutes les possibilités de contacts avec ou sans coucher chez l'autre parent en cours de séjour.

Pour choisir leur séquence d'alternance, les parents doivent tenir compte de l'âge, des besoins et des activités des enfants, sans oublier leur propre horaire de travail, leur disponibilité et les moyens de transport à leur disposition.

Saviez-vous que...

? Plus l'enfant est jeune, plus on recommande des contacts fréquents et rapprochés avec chaque parent en utilisant une progression à partir du modèle initial qui prévalait avant la rupture.

Pour compléter cette information générale, voici maintenant quelques particularités rattachées à l'élaboration du plan parental, notamment pour les tout-petits et les adolescents.

Particularités avec les tout-petits

L'alternance de résidence pour les très jeunes enfants est sans aucun doute la dimension qui soulève le plus d'avis partagés !

À preuve, certains professionnels, incluant des pédopsychiatres français et belges, considèrent que l'enfant doit être presque d'âge scolaire pour bien composer avec deux milieux de vie. Ils sont peu enclins à recommander des nuitées chez le père pour le jeune enfant[12], la mère étant considérée comme le pôle d'attachement stable à préserver pour sécuriser ce dernier. À l'opposé, ceux qui soutiennent la notion d'attachements multiples et la possibilité de plus d'un parent de référence y voient une sérieuse entrave à l'établissement d'un lien d'attachement père-enfant[13]. Cette seconde école de pensée encourage la présence précoce du père auprès du jeune enfant afin de créer ce lien et valorise la double filiation pour le développement de l'enfant.

Comme le souligne Francine Cyr, médiatrice et chercheuse[14], « chacun prend la parole à partir du lieu où il exerce ». Il faut donc éviter de généraliser les observations professionnelles faites à partir d'enfants en grande difficulté à l'ensemble des enfants vivant en garde partagée. Mais, étant donné qu'il n'y a pas de consensus scientifique et que l'alternance de domicile pour les nourrissons et les jeunes enfants est, somme toute, un phénomène assez récent, la prudence reste de mise. Je ne crois pas que nous disposions actuellement de recherches pouvant comparer les effets à long terme de cette alternance, avec ou sans coucher chez l'autre parent, sur le développement du jeune enfant. Les études qui ont jadis été réalisées sur l'attachement ont surtout porté sur le lien mère-enfant alors que le lien père-enfant a été ignoré. La plupart ont été réalisées dans des milieux institutionnels où les enfants avaient, en majorité, été privés de la présence de leurs deux parents et avaient vécu dans des conditions différentes de celles des enfants de parents séparés. Les résultats ont parfois été extrapolés aux situations de ruptures conjugales[15]. Les mères étaient alors beaucoup moins nombreuses sur le marché du travail et le recours aux services de garde pour les enfants n'était pas aussi répandu qu'aujourd'hui. De plus, d'autres variables importantes comme le niveau de collaboration ou de conflit entre les parents avant et après la rupture ont parfois été ignorées dans les comparaisons entre les différents modèles de garde à la suite d'une rupture. Les recherches à venir contribueront sûrement à répondre à quelques questions des parents et des professionnels, mais le sujet reste complexe et s'avère souvent émotif, même pour les chercheurs !

En attendant, nous avons, du moins je le crois, quelques balises pour nous guider. Les voici :

- ✓ On reconnaît de plus en plus que « l'enfant a tout autant besoin de son père que de sa mère, mais pour des raisons différentes[16] » ;
- ✓ Les groupes féministes et masculinistes réclament tous une égalité des rôles parentaux ;
- ✓ La place du père est de plus en plus encouragée auprès des jeunes enfants, ce qui se traduit par des mesures sociales comme le congé parental, dont l'impact positif sur le lien père-enfant est souligné en Angleterre, en France et au Québec ;
- ✓ Comme il n'y a pas de modèle idéal de répartition du temps qui favoriserait le développement optimal de l'enfant, la réaction de celui-ci demeure le meilleur indicateur du caractère approprié ou non de la répartition du temps[17]. C'est pourquoi les parents doivent demeurer **très souples et attentifs** ;
- ✓ Le groupe d'âge des 0 à 5 ans est vulnérable. On peut avoir tendance à surestimer la capacité d'adaptation de ces petits, surtout les plus jeunes d'entre eux ;

- ✓ Le plan parental doit être établi au cas par cas en tenant compte de la division antérieure des responsabilités parentales, du lien de l'enfant avec chacun de ses parents et du contexte particulier (par exemple l'allaitement, le congé parental du ou des parents, etc.) ;
- ✓ Plusieurs médiateurs familiaux recommandent aux parents qui optent pour la résidence alternée auprès de leur jeune enfant de procéder de façon graduelle et progressive (surtout si l'un des parents était plus engagé au quotidien) et en favorisant avec l'autre parent des contacts brefs et fréquents plutôt que longs et plus espacés.

Les parents savent bien que plus ils se sentent eux-mêmes en sécurité, mieux ils peuvent rassurer leur enfant. Mais cette sécurité s'acquiert aussi au fil de l'expérience et de la consolidation des liens. Il est donc nécessaire de laisser sa place au père si celui-ci a les capacités de répondre aux besoins de l'enfant, la disponibilité de cœur et de temps pour actualiser concrètement cet engagement de même que la sensibilité pour reconnaître, s'il y a lieu, l'attachement initial plus grand avec la mère. Si la mère s'approprie l'enfant, celui-ci ne pourra développer de lien significatif avec son père. Certains écrits mentionnent d'ailleurs le « syndrome du héron » : la comparaison veut que l'habile échassier, même s'il peut dormir sur une seule patte, serait bien malvenu de sacrifier l'autre !

Boris Cyrulnik utilise quant à lui l'image du passage « d'une bulle à deux à l'ouverture du triangle », précisant que ce n'est toutefois pas toujours le père qui crée cette saine distanciation mère-enfant, comme dans certaines cultures où les enfants n'ont pas de père et sont élevés par un groupe de femmes. Considérant la diversité des configurations familiales actuelles, cette précision est éclairante pour tout parent (quel que soit son sexe, son orientation sexuelle ou son lien biologique ou non avec l'enfant) qui veut éviter cette « relation d'emprise[18] » étouffante pour l'enfant.

Faire une place réelle au père dès la naissance de l'enfant demande une motivation sincère de la part des deux parents et ne se réalise pas nécessairement sans heurts, même quand les parents vivent en couple. Il est donc fort compréhensible que cet exercice soit d'autant plus périlleux si la séparation suit de près la naissance, alors que les émotions postpartum s'entremêlent à celles de la rupture, et peut-être encore davantage si les parents n'ont pas ou peu cohabité !

Comment pouvez-vous, comme parents, appliquer ces grands principes dans la réorganisation postrupture auprès de votre petit ? La réponse se situe dans l'équilibre que vous pouvez établir en étant sensibles au vécu de l'enfant. Il s'agit de ne pas compromettre une relation sécurisante pour en établir une autre, mais bien de faciliter la création de liens profonds avec les deux parents. Si vous êtes tous les deux déjà très proches de votre enfant et engagés de façon semblable dans la réponse quotidienne à ses besoins (de jour comme de nuit), l'alternance auprès de lui en sera facilitée. Mais l'établissement d'un plan parental adapté ne se fait pas nécessairement sans heurts et c'est pourquoi l'accompagnement en médiation peut vous aider à mieux orchestrer quotidiennement vos compétences parentales auprès de votre enfant.

Certains parents séparés dont l'entente est assez bonne établissent un horaire à partir de leurs disponibilités et de la routine du petit (par exemple les heures d'éveil et de sommeil, l'allaitement ou les boires, les repas, les changements de couche, la période de stimulation, le bain, le coucher, etc.). Cette régularité gagne à être préservée pour l'enfant. Les parents peuvent être tous les deux en présence du petit au même endroit pour éviter, surtout au début, de le déplacer dans un lieu moins connu. Si c'est la mère[19] qui assume davantage le rôle principal auprès de l'enfant, elle peut s'absenter une heure ou deux pendant que le père prend la relève, car la création d'un lien étroit avec l'enfant nécessite du temps seul avec lui. Les tâches parentales peuvent être augmentées à mesure que le degré de confort père-enfant s'accroît (par exemple lorsqu'il se sent à l'aise pour préparer le repas et faire manger l'enfant, lui donner le bain puis l'endormir). Des périodes de temps avec l'enfant pourront également s'ajouter dans l'horaire hebdomadaire (par exemple trois périodes de deux heures) ou s'allonger[20]. L'autre parent peut ainsi augmenter son sentiment de compétence sans craindre d'être jugé tout en apprenant à mieux connaître son enfant.

Il est évident que le plan parental sera différent s'il s'agit d'un nourrisson ou d'un enfant de 2 ou 3 ans. Mais les mêmes principes s'appliquent, c'est-à-dire qu'il faut veiller à favoriser une transition en douceur entre ce que l'enfant a connu antérieurement et la nouvelle organisation familiale tout en restant attentif aux réactions de l'enfant.

Comment faciliter la transition d'un parent à l'autre pour l'enfant ?

Pour le tout-petit, le passage des bras d'un parent à l'autre est des plus importants. Des spécialistes affirment même que le climat relationnel entre les parents lors de ces passages est encore plus à considérer que les modalités techniques de division du temps. Les conflits au moment des transitions de l'enfant d'un parent à l'autre peuvent accroître l'anxiété de séparation, comme le soulignent Kelly et Lamb[21]. Ces derniers précisent que même lors de l'absence de conflit, il arrive, particulièrement pour un enfant de 15 à 24 mois, de réagir par des pleurs, de l'irritabilité, de l'inquiétude ou de l'agressivité quand il passe d'un style parental ou d'une routine à l'autre. **Il faut s'attendre à ce que les parents aient des styles différents reliés à leur personnalité et à leur propre expérience lorsqu'ils étaient enfants. Il est donc d'autant plus important que les parents discutent de leur approche et de leurs techniques éducatives de même que des réalisations et des apprentissages de l'enfant aux différentes étapes de son développement.**

Les échanges d'information entre les parents ne peuvent pas être négligés. Vous vous rappelez la liste de consignes données à la petite gardienne lors d'une première sortie ? Bien que la comparaison soit étrange puisqu'il s'agit ici des deux parents, il reste que la transition ne saurait être escamotée et qu'aucun parent ne voudrait procéder comme si l'enfant était un petit paquet circulant de l'un à l'autre... Pourtant, certains échanges, vus de l'extérieur, laissent à penser qu'il est facile en cette période de tumulte émotif d'oublier ce que l'enfant peut ressentir. Si le parent, en confiant le petit à l'autre parent, peut le sécuriser par des mots apaisants et si ce changement s'effectue dans un climat de douceur, plusieurs conditions seront alors en place pour que la suite soit également positive. Cette consigne peut paraître difficile à respecter quand les douleurs de la rupture sont encore vives... mais avec de l'aide et du temps, ce passage sera moins ardu et l'enfant, si sensible aux émotions des parents, le ressentira.

Quand les parents sont capables d'échanger les informations pertinentes sans craindre le jugement de l'autre, tous en sortent gagnants. La transition ou le passage d'un milieu parental à l'autre nécessitera toujours du doigté et **une sensibilité particulière au vécu de l'enfant,** quel que soit son âge. C'est encore plus vrai pour les petits. Si les parents réussissent à instaurer le dialogue dès le début de l'alternance, ils offriront un véritable présent à leur enfant (le cahier parental en fera foi plus tard). Une réelle collaboration centrée sur le mieux-être de l'enfant peut alors s'établir. Des questions aussi banales que les préférences alimentaires de l'enfant, ses activités dans la maison et à l'extérieur, ses petites habitudes et, parfois, les meilleures façons de composer avec ses traits de caractère, peuvent être abordées. Ceci peut contribuer à maintenir la routine sécurisante de l'enfant de même que ses repères. S'endort-il encore facilement en voiture, dans son parc de jeu ou ailleurs ? Avec ou sans biberon ? Réclame-t-il souvent les bras du parent? Aime-t-il se faire bercer ces temps-ci? A-t-il bon appétit? Perce-t-il des dents actuellement? Y a-t-il des soins particuliers à lui prodiguer ou un apprentissage important en cours (par exemple la propreté)? Joue-t-il seul dans son lit en se réveillant? Tolère-t-il ceci ou cela? Y a-t-il des objets sécurisants qui le suivent dans ses déplacements (une couverture ou une peluche favorite)? L'enfant peut également apprécier de retrouver auprès de lui, par exemple sur un vêtement, l'odeur réconfortante du parent absent. Les parents peuvent convenir de façons de faire à cet égard, notamment en habillant l'ourson de l'enfant d'un t-shirt de papa ou maman.

Toutes les questions liées au développement de l'enfant ouvrent graduellement sur des pistes de concertation parentale: Comment t'organises-tu pour ceci ou cela? Comment fais-tu quand il réagit de cette manière? Combien de temps pleure-t-il après mon départ? Comment le consoles-tu? Les parents s'assurent ainsi « d'accorder leur violon », comme le dit l'expression populaire, afin de constituer la meilleure équipe possible en minimisant la compétition.

Quand le petit commence à passer quelques heures au domicile de l'autre parent, il est utile **d'avoir déjà aménagé les lieux** en fonction de sa présence, car on ne peut pas transporter tout le matériel nécessaire en plus des couches, biberons, doudous, etc. Même si cette précaution peut paraître évidente, j'ai constaté en médiation à quel point des mères pouvaient être rassurées quand les pères avaient pris ces initiatives. Certains s'étaient procuré du mobilier et des accessoires pour enfants (par exemple un lit, un porte-bébé, une chaise d'appoint, une poussette ou un parc de jeu) dans des boutiques d'occasion ou avaient bénéficié de prêts de parents et d'amis.

Il peut également être indiqué de préciser si, en cas de difficulté, la mère souhaite que le père la contacte plutôt que de faire appel à une autre personne-ressource. Certains apprécieront cette collaboration et y verront une marque de confiance alors que d'autres pères ou mères préféreront se communiquer l'information seulement lors des transitions.

En considérant l'importance de bien décoder les besoins du jeune enfant, tous les indices comme les troubles de sommeil, les changements au niveau de l'appétit, les manifestations de dépendance accrue ou d'insécurité et, pour les enfants d'âge préscolaire, d'agressivité (dans les jeux, avec le parent, avec la fratrie ou les pairs) ou de régression (par exemple le fait de mouiller son lit, la peur de dormir seul ou sans veilleuse, la difficulté de quitter le parent au service de garde), gagnent à être partagés rapidement entre les parents afin de corriger, si possible, la situation problématique. Il faut s'attendre à certaines réactions de l'enfant même dans le meilleur cas de figure, comme nous l'avons mentionné précédemment. Il est également sage de fixer un moment de réévaluation du plan parental et de devancer cet échéancier au besoin, et ce, encore davantage avec les tout-petits.

Un autre point essentiel est de **préserver le lien de l'enfant avec les autres personnes de référence** présentes dans sa vie (une nounou, un grand-parent ou un éducateur en milieu de garde, par exemple) si les parents en ont la possibilité. Il est important de favoriser cet apport s'il est positif. Le nombre de grands-parents peut s'accroître à la suite des ruptures et des recompositions familiales, de sorte que les parents séparés peuvent compter sur un plus grand nombre de personnes-ressources. Ces gens d'expérience, qui ont encore souvent beaucoup d'amour à donner, peuvent s'avérer précieux tant pour les petits que pour les grands, puisque les deux parents ne sont pas nécessairement au meilleur de leur forme physique et psychologique en cette période de rupture et qu'ils ont, eux aussi, besoin de soutien.

Quand les parents pensent à la transition, certains d'entre eux croient que le meilleur endroit pour effectuer le passage de l'enfant d'un milieu de vie à l'autre est un lieu neutre (comme le service de garde ou l'école) ou encore un endroit public (comme un restaurant). Ces lieux ont l'avantage d'offrir la présence de tierces personnes pouvant agir comme témoins dans les situations où les parents craignent des conflits. Par contre, l'utilisation du cahier parental peut réduire le temps d'échange verbal et permettre que le climat se prête à une transition au domicile, avec certaines règles pour préserver la vie privée de chacun. S'il est un peu plus âgé, l'enfant peut parfois inviter l'autre parent à venir voir sa chambre ou un nouveau jouet. Si l'un des parents, ou alors un nouveau conjoint, éprouve un malaise à cet égard, il peut être aidant de redéfinir « les frontières » et l'espace de la maison accessible à l'autre lors de ces transitions.

La façon et le moment de dire « au revoir » à l'enfant peuvent aussi contribuer à faciliter la transition. On suggère habituellement de le faire de façon brève et chaleureuse avec des mots apaisants adaptés à l'âge de l'enfant et d'éviter des effusions qui pourraient lui transmettre l'impression que son parent ne peut se passer de lui. L'enfant d'âge scolaire n'apprécie pas nécessairement que ces marques d'affection lui soient témoignées devant ses petits copains. Le parent gagne à être discret. Il se peut que certains enfants trouvent cette transition pénible et aillent jusqu'à provoquer un conflit lors du départ, comme si cela atténuait un peu la difficulté de quitter son parent. Il serait sage d'en discuter si le scénario semble répétitif. Le parent peut parfois communiquer son propre malaise sans en être conscient.

Trois autres idées pour faciliter la transition

✓ Si tous les préparatifs, tant de l'enfant que des effets personnels à apporter, sont complétés un peu à l'avance et qu'on se réserve du temps de qualité pour terminer le séjour, le départ pourra être moins déchirant.

✓ Des parents préfèrent aller chercher les enfants lorsqu'ils débutent la période avec eux plutôt que de les reconduire en fin de séjour, ce qui leur apparaît moins lourd au plan émotionnel.

✓ La ponctualité constitue un autre facteur de réussite non négligeable, surtout lorsqu'on pense aux tout-petits et aux préparatifs plus élaborés en saison froide.

Il semble que l'enjeu majeur de la garde partagée pour les jeunes enfants soit d'assurer une forme de stabilité et de sécurité sur les plans psychologique et affectif par la présence aimante des parents et d'autres proches, de même que par des repères dans le temps et dans les lieux. En conservant pour lui une routine sécurisante et prévisible, des objets connus et les personnes significatives de sa vie, on donne à l'enfant la possibilité d'avoir plus d'une personne de référence et de maintenir ses attachements complémentaires, ce que les recherches ont identifié comme des facteurs de protection et de résilience.

Pour résumer les précautions facilitant le passage de l'enfant d'un parent à l'autre, vous pouvez vous référer à la liste se trouvant dans la *Boîte à outils, page 123.*

Les préférences des adolescents

L'adolescence est une étape de croissance au cours de laquelle l'identité déjà acquise est remise en question. C'est aussi une période souvent marquée par une grande affirmation de soi[22]. Il est donc possible, quoique cela ne soit pas la règle en général, que la résidence alternée fasse partie des choix parentaux contestés par les ados.

Les parents craignent en effet que leur jeune refuse de passer d'un domicile à l'autre et qu'il conteste cette façon de vivre. Il est vrai que cette étape est favorable aux remises en question, par ailleurs très saines. Nous verrons quelques éléments qui y contribuent et des façons de profiter de ces occasions.

Les adolescents vivent une phase de recherche d'autonomie et leur groupe d'amis est très important dans leur socialisation. Pour certains, « la vie de nomade » se concilie plus difficilement avec leur recherche d'identité où la tanière personnelle prend plus d'importance. Aussi est-ce faire preuve de réalisme que de considérer leur désir ou leur préférence et de chercher à obtenir leur accord quant à leur lieu de résidence. Des recherches ont toutefois permis de constater que la majorité des enfants ayant expérimenté la garde partagée ne veulent pas changer pour un modèle de garde unique. Habitués à maintenir un lien avec leurs deux parents, ils ne cherchent habituellement pas, sauf s'il survient un conflit ou des problèmes marqués, à se priver de l'un d'entre eux. Par contre, il est aussi vrai que certains adolescents demandent que l'alternance soit moins fréquente et que la durée des séjours soit plus longue. Comme l'ennui des parents n'est plus vraiment un enjeu, la séquence de deux semaines dans chaque foyer, par exemple, leur permet de « se déposer » davantage en diminuant le nombre de leurs déplacements.

Si les écarts sont marqués entre les deux lieux de vie, c'est-à-dire si l'un des parents demeure dans un secteur où le jeune peut plus facilement avoir accès à son réseau d'amis, ses activités de loisirs, son école, son ou sa petite amie et que les avantages matériels ou logistiques (par exemple les appareils technologiques sophistiqués, les espaces pour ses activités musicales ou autres, le confort de la résidence, etc.) se retrouvent majoritairement chez un parent, il n'est pas surprenant que les choix du jeune puissent en être influencés. Par contre, quand les parents en discutent et cherchent ensemble des solutions (comme de procurer un véhicule au jeune à certaines conditions), il y a moins de risque de manipulation, surtout si ce sont les règles parentales qui sont en cause. Ce dialogue parental a aussi l'avantage d'éviter de dramatiser la situation, et ce, même si un changement de résidence principale s'imposait comme décision. En impliquant le jeune dans la recherche de solutions, des parents sont arrivés à des options encore plus satisfaisantes pour chacun.

Les effets personnels auxquels les adolescents sont attachés sont souvent plus significatifs et le transport d'un domicile à l'autre peut alors poser problème. Comme les vêtements reflètent leur style et leur identité, plusieurs jeunes préfèrent les transporter avec eux plutôt que d'en acheter en double, surtout si ces dépenses sont calculées dans leur budget. Certains parents choisissent effectivement de confier à leur adolescent la part de la gestion du budget qui lui est consacré afin de le sensibiliser à la valeur de l'argent, tout en le responsabilisant dans ses choix et ses achats et en favorisant sa contribution personnelle.

L'arrivée d'un nouveau partenaire ou conjoint de l'un des parents peut, elle aussi, être source de questionnement pour l'adolescent. Si la cohabitation avec cette personne étrangère occasionne des frictions (ce qui est relativement fréquent à la fois à cet âge et en début de relation), il est possible que le jeune désire se distancier.

Une certaine distanciation d'avec la famille est d'ailleurs saine pour le développement de l'adolescent et ne signifie pas nécessairement un rejet de la famille ou un refus de la recomposition. Il est bon de prendre le temps de bien identifier les motifs réels sous-jacents à cette demande de changement. Parfois, il s'agit de rassurer le jeune sur la place « affective » qu'il conservera dans la vie du parent et à d'autres moments, d'encourager la connaissance graduelle du beau-parent et de favoriser les activités exclusives entre eux. Cela est vu par des chercheurs[23] comme la meilleure stratégie. Comme ces derniers le mentionnent, il arrive aussi que le jeune résiste à s'engager dans des relations chaleureuses avec le beau-parent et les enfants de ce dernier, notamment afin d'éviter toute promiscuité sexuelle. On sait que l'adolescent est particulièrement sensible à ce qui a trait à son identité personnelle et sexuelle. L'expression de l'affection, la proximité physique (par exemple en regardant un film, dans la tente de camping ou dans la chambre de chacun), la nudité, l'apparence physique (incluant les remarques concernant le poids ou la beauté), la sexualité des adultes et des adolescents, le droit à l'intimité, l'hygiène personnelle (par exemple le temps alloué à chacun dans la salle de bain ou les attentes des adultes face à l'hygiène des jeunes) sont autant d'aspects où les valeurs et les comportements peuvent être aux antipodes et provoquer des malaises, chez les jeunes comme chez les adultes. C'est pourquoi on gagne à clarifier ces dimensions et à dissiper rapidement l'inconfort avant que la situation ne s'aggrave.

Il se peut qu'un réaménagement des lieux s'impose, surtout si la famille déménage chez le nouveau conjoint ou si celui-ci emménage dans le lieu où le jeune cherche à préserver son espace et son intimité. Sans nécessairement remettre le projet de recomposition familiale en jeu, le parent peut faire en sorte que son adolescent se sente aimé et respecté. Des moments seul à seul avec lui peuvent être bénéfiques.

Quand un jeune vit des difficultés sur le plan personnel, scolaire ou comportemental, il m'apparaît sage que les parents partagent rapidement ces informations. On a récemment porté à mon attention des situations d'adolescents pour lesquels la garde partagée, appliquée pendant de nombreuses années, a été volontairement remplacée par la résidence principale avec un parent pour la période scolaire. Ce changement a été mis en place avec la collaboration des parents afin de favoriser un meilleur encadrement des jeunes qui manifestaient des troubles de comportement et pour qui l'alternance devenait une source d'adaptation et de stress additionnels. Bien qu'on ne puisse généraliser ces exemples, ils illustrent bien l'importance de la concertation des parents et de la révision du plan parental en fonction des besoins et de l'évolution du jeune. Et si un changement s'impose, l'adolescent appréciera que le parent lui conserve quand même sa place ou, du moins, une place dans la famille. Quoi de plus blessant que de constater, sans en avoir été informé au préalable, que sa chambre est désormais le studio de travail du conjoint ou la salle de jeux des petits ? Pour éviter que cette expérience soit vécue comme un rejet, et considérant à la fois « l'humeur en accordéon des ados » et le fait que d'autres changements pourraient survenir, il est recommandé de faire en sorte qu'un espace soit réservé à l'adolescent et que ce dernier soit mis à contribution dans la réorganisation.

L'adolescence est une étape importante dans la vie d'un jeune, mais elle ne met pas nécessairement fin à la résidence alternée, pas plus que la recomposition familiale d'ailleurs. Pourtant, certains ajustements peuvent être mis en place pour faciliter la vie de chacun en tenant compte des besoins d'autonomie et d'affirmation de l'adolescent qui « prend son élan vers le monde adulte ».

Si les parents communiquent peu entre eux, ils peuvent s'imaginer à tort que leur jeune est plus ouvert avec l'autre parent ou mieux encadré dans son autre milieu de vie et, ainsi, faire preuve de laxisme. L'adolescent risque alors d'être laissé à lui-même et sans repères. Et comme les valeurs éducatives et les règles concernant les sorties, les amis, l'alcool, la voiture, la sexualité, le temps consacré aux études et celui investi dans les nouveaux médias, Internet en tête[24], doivent être mises à jour, les parents se sentiront moins seuls s'ils peuvent échanger sur ces sujets et offrir à leur jeune plus de similitude dans l'encadrement et un meilleur suivi.

Que la formule de résidence alternée soit maintenue ou modifiée en cours de route, il est bon de ne pas oublier que le jeune a encore besoin de balises sécurisantes et de l'amour de ses deux parents, même sous des dehors d'indifférence ou de contestation de sa part. S'il y a un changement dans la formule de résidence, il est souhaitable qu'il soit discuté et appuyé par toutes les personnes concernées et que « la porte ne soit pas fermée à clé ».

Comme le dit si bien Michèle Lambin, travailleuse sociale:

> « Il faut maintenir le lien, l'entretenir : cela peut faire toute la différence entre un jeune qui se permettra de vivre ce qu'il ressent vraiment et un jeune qui portera le masque destiné à protéger ses parents[25]. »

Boîte à outils

Cette boîte à outils comprend:

- le partage du temps et des responsabilités parentales;
- des exemples commentés de division du temps;
- une liste de précautions pour faciliter la transition de l'enfant.

Le premier outil se veut un aide-mémoire des dimensions à explorer pour établir une division judicieuse du temps et des responsabilités menant à un plan parental adapté à tous les membres de la famille. Sans ignorer la situation antérieure, vous pourrez tenir compte de la situation actuelle et de vos choix en termes de nouveau partage s'il y a lieu. Vous pouvez faire l'exercice seul(s) ou accompagné(s) d'un professionnel au besoin.

Partage du temps et des responsabilités parentales

Situation des parents durant la vie commune

- Disponibilité de chacun (travail, loisirs, comités, etc.);
- Activités partagées avec les enfants;
- Capacités de chacun des parents (prendre soin, éduquer, etc.);
- Liens avec chacun des enfants;
- Partage des responsabilités et des soins aux enfants.

Situation actuelle des parents

- Situation sociale (lieu de résidence, ressources matérielles, école, réseau de soutien, services, etc.);
- Disponibilité (selon l'horaire de travail, par exemple);
- Capacités parentales actuelles (incluant le désir de les améliorer);
- Motivation réelle;
- Présence ou non de nouveaux conjoints et qualité relationnelle de ceux-ci avec les enfants;
- Dynamique postrupture (type de relation entre les parents).

Enfants

- Âge (plus l'enfant est jeune, plus courts doivent être les intervalles sans contact avec l'un ou l'autre parent);
- Besoins généraux et spécifiques;
- Capacité d'adaptation (nombre et importance des changements influençant le niveau de stress);
- Désir et intérêt face à la modalité proposée;
- Routine habituelle;
- Stabilité des autres personnes significatives auprès d'eux (une ou deux gardiennes, école, grands-parents), nombre de personnes impliquées;
- Lien avec chaque parent;
- Fréquence et durée des déplacements dans le mode proposé;
- Réactions des enfants à l'essai d'une ou plusieurs modalités.

Quelques exemples de division du temps assortis de commentaires

Le deuxième outil vous présente quelques exemples concrets de division du temps entre les parents afin de vous aider à tracer votre plan «sur mesure». De prime abord, certains modèles peuvent paraître complexes, mais ils sont issus de cas bien réels et comportent chacun leurs avantages et leurs inconvénients.

- 2 semaines/**2 semaines** (populaire chez les adolescents);
- 2 semaines/**1 semaine + quelques jours** dans les 2 semaines de l'autre parent et l'alternance 8 jours/**6 jours** (deux formules qui peuvent parfois favoriser la transition vers une division égalitaire du temps pour des enfants plus âgés);
- 1 semaine/**1 semaine** (formule la plus répandue);
- 1 semaine moins un jour ou un soir/**1 semaine moins un jour ou un soir** (chaque semaine est coupée par un contact avec l'autre parent pour une activité, un souper ou un souper avec coucher. En plus d'offrir les avantages de la régularité et de la diminution du temps sans contact, cette formule est bien adaptée aux plus jeunes enfants, quoique certains réagissent mal aux contacts trop brefs.);
- 4 jours/**3 jours** ou semaine/**fin de semaine** (lundi, mardi, mercredi, jeudi avec un parent/vendredi, samedi, dimanche avec l'autre parent. Cette formule de jours fixes est adaptée aux horaires de travail, mais l'équilibre des loisirs et des responsabilités est plus ardu à atteindre.);

- 5 jours/**2 jours**-2 jours/**5 jours** (tous les lundis et mardis avec la mère et tous les mercredis et jeudis avec le père avec une alternance des fins de semaine. Formule de jours fixes sur semaine);
- 3 jours/**3 jours**-5 jours/**3 jours** (avantageux quand un parent offre plus de disponibilité que l'autre ou que les parents visent une transition vers une division paritaire. Le morcellement de l'horaire est mieux adapté pour les enfants plus jeunes.);
- Journée/**soirée** (alternance constante sauf pour de petites périodes identifiées);
- **2 fins de semaine sur 3** (les fins de semaine peuvent être précisées entre les parents et inclure ou non les couchers du vendredi et du dimanche avec retour de l'enfant chez la mère, à l'école ou au service de garde le lundi, par exemple);
- **3 fins de semaine sur 4** (tous les plans de fin de semaine peuvent comporter ou non un contact parent-enfant durant la semaine précédant la fin de semaine où il ne verra pas son parent);
- **2 jours**/2 jours-**3 jours** (la première semaine, l'enfant est avec sa mère le lundi et le mardi et avec son père le mercredi et le jeudi et de nouveau avec sa mère pour la fin de semaine. La semaine suivante ce sera l'inverse, soit le lundi et le mardi avec son père, le mercredi et le jeudi avec sa mère et la fin de semaine avec son père. Cette formule comporte plus de changements de repères que le 5 jours-2 jours fixes et nécessite un bon sens de l'adaptation et un bon suivi de tous les adultes. Avantage de contacts plus fréquents et rapprochés de l'enfant avec chaque parent).

Remarque : cette liste est non exhaustive et se veut une invitation à la réflexion…

Rappel des précautions pour les transitions

Le troisième outil est un rappel des aspects mentionnés préalablement et pouvant faciliter la transition de l'enfant d'un domicile parental à l'autre dans le cadre d'une résidence alternée.

Pour le tout-petit

- Une alternance adaptée à l'âge de l'enfant;
- La conservation de la routine et des repères du petit (prise de notes au besoin);
- La surveillance attentive des parents aux indices de malaise du petit;

- L'emploi de mots apaisants pour l'enfant lors du passage des bras de l'un aux bras de l'autre ;
- L'aménagement fonctionnel des lieux aux deux domiciles ;
- L'établissement progressif du nouveau modèle ;
- Le transport des objets sécurisants pour l'enfant.

Pour l'enfant de tout âge

- Un climat relationnel serein entre les parents ;
- Un échange régulier d'information facilitant le suivi parental ;
- Le respect des ententes établies (par exemple la ponctualité ou l'avertissement en cas d'imprévu) ;
- Un court et agréable « au revoir » à l'enfant ;
- Le maintien de repères connus pour l'enfant et des personnes significatives pour lui (par exemple un grand-parent ou une gardienne) ;
- Un lieu de transition adapté aux besoins et au niveau de confort émotionnel ;
- Un transport sécuritaire ;
- La présence des parents lors des transitions (plutôt que celle des nouveaux conjoints, surtout au début) ;
- La sensibilité au vécu et aux réactions de l'enfant ;
- Un temps laissé à chacun pour « décompresser » (sans interrogatoire) ;
- La mise à jour de l'information donnée aux personnes-ressources responsables auprès de l'enfant (par exemple le calendrier des séquences donné à l'éducatrice, au professeur).

Pour l'enfant d'âge scolaire ou préscolaire

- Le choix d'un moment approprié de transition en termes de jour/soir et d'heure (sans brusquer la fin du séjour chez l'un ou perturber le début du séjour chez l'autre) ;
- La planification des tâches reliées au départ de l'enfant (par exemple le lavage des vêtements et la préparation des effets à transporter s'il y a lieu) ;
- La préparation psychologique et matérielle de l'enfant (antérieurement au moment du départ) ;
- L'apprivoisement du nouvel environnement, s'il y a lieu (par exemple le trajet pour l'école, les invitations aux anciens amis avant de créer de nouvelles amitiés ou l'espace pour l'enfant dans la nouvelle résidence).

Notes

1. Tiré de Helen Exley. *Et doucement vient la sagesse. Un livre cadeau.* Bierges (Belgique) : Éditions Exley, 2001.
2. Marianne Souquet et Corinne Benkemoun. « La médiation familiale : un accompagnement pour la mise en place d'une résidence en alternance ». *Revue scientifique de l'Association internationale francophone des intervenants auprès des familles séparées* 2007 1 (1) : 101-111.
3. Pierre Noreau et Samia Amor. « Médiation familiale : de l'expérience sociale à la pratique judiciarisée » dans *Famille en transformation, la vie après la séparation des parents,* entrepris par le Centre de recherche sur l'adaptation des jeunes et de la famille à risque (JEFAR) de l'Université de Laval. Sainte-Foy, Presses de l'Université Laval, 2004, pp. 269-297.
4. Au Québec, dans les cas litigieux, les parents ont l'obligation d'assister à une séance d'information sur la médiation sauf si des motifs sérieux les en dispensent. En France, le juge peut imposer aux parents de s'informer sur la médiation et en Allemagne, on discutait en 2009 d'un projet semblable.
5. La juge Danielle Richer a été nommée à la Cour supérieure en janvier 1994 et a présenté plusieurs conférences en droit de la famille. Elle a écrit « Le législateur et les tribunaux québécois face à la garde partagée », *Revue scientifique de l'Association francophone des intervenants auprès des familles séparées* 2007 1 (1) : 199-204.
6. Lisa Parkinson. *Conciliation in Separation and Divorce.* London : Croom Helm, 1986, p. 11. [traduction libre]
7. Certains parents partagent temporairement deux lieux de vie en alternance, soit la résidence principale avec les enfants et une résidence secondaire.
8. « Mon ex-mari et moi habitons en alternance une semaine sur deux chez nos enfants ». *Elle Québec.* Juin 2007, pp. 102-103.
9. Marie-Claude Vallejo et Anne Lamy. *Résidence alternée, on arrête ou on continue ?* Paris : Albin Michel, 2010, pp. 46-47.
10. « Essential considerations - Infancy to 3 years old » in *Parenting Plan Guidelines,* County of Orange Family Court Services de Californie. www.occourts.org/media/pdf/parenting-plan-guidelines.pdf
11. En France, on l'évalue à 80 % des situations de résidence alternée selon les auteures Vallejo et Lamy qui invitent à la créativité et soulignent que certains ont péché en la matière par manque d'imagination. *Op cit.*, p. 11.
12. Voir Jean-Yves Hayez, « Le devenir des enfants après la séparation des parents. Garde alternée et autorité parentale conjointe. Une décision délicate à prendre cas par cas ». *Observatoire.* Août 2004. www.observatoirecitoyen.be/article.php3?id_article=90
13. Position défendue par Gérard Poussin. Voir le débat entre Marcel Rufo et Gérard Poussin dans « Pour ou contre la garde alternée ? » www.psychologies.com/Couple/Crises-Divorce/Articles/Pour-ou-contre-la-garde-alternee
14. Francine Cyr. « Débat sur la garde partagée : vers une position plus nuancée dans le meilleur intérêt de l'enfant », *Santé mentale au Québec* 2008 33 (1) : 235-251.
15. Gilles A. Vidal. « Le concept de l'attachement et l'attribution de la garde de jeunes enfants après une rupture parentale ». *Revue scientifique de l'Association internationale francophone des intervenants auprès des familles séparées* 2007 1 (1) : 185-194.

16. Daniel PAQUETTE. *Santé mentale au Québec*. 2008 33 (1) : 223-227. L'auteur précise toutefois que ces apports spécifiques du père ou de la mère ne sont pas exclusifs puisqu'on observe un chevauchement important des comportements entre la mère et le père dans de nombreuses familles d'aujourd'hui.
17. Rodrigue OTIS. *La prise de décision concernant la garde d'enfants dans un contexte de séparation*. Eastman (Québec) : Éditions Behaviora, 2000, p. 49.
18. Boris CYRULNIK. *Les vilains petits canards*. Paris : Éditions Odile Jacob, 2001, pp.134-135.
19. Nous parlons ici de la mère puisque dans notre société, c'est elle qui s'occupe le plus souvent du nourrisson. Il existe toutefois d'autres organisations familiales et une pluralité d'histoires de vie possibles, par exemple l'homoparentalité, l'adoption, une dépression post-partum de la mère durant laquelle le père devient le parent principal, etc.
20. Pour plus de détails et d'exemples, voir sur le site Web *Parenting Plan Guidelines*, Superior Court of California, County of Orange, *Op cit*.
21. Joan B. KELLY et Michael E. LAMB. « Using child development research to make appropriate custody and access decisions for young children ». *Family and Conciliation Courts Review* 2000 38 (3) p. 308.
22. Michel DELAGRAVE. *Ados - mode d'emploi*. Montréal : Éditions du CHU Sainte-Justine, 1999, p. 15 et 18.
23. Marie-Claude SAINT-JACQUES, R. LÉPINE, C. PARENT. « La naissance d'une famille recomposée : une analyse qualitative du discours d'adolescents et d'adolescentes ». *Revue canadienne de santé mentale communautaire* 2002 (4) : 89-107.
24. Voir « Facebook, dis-moi qui je suis » dans *La famille idéale...ment* de Diane DRORY. Bruxelles : Éditions Soliflor, 2008, p. 141.
25. Michèle LAMBIN. *Aider à prévenir le suicide chez les jeunes*. Montréal : Éditions du CHU Sainte-Justine, 2e édition, 2010, p. 217.

Chapitre 5

Les situations plus difficiles

Le miracle n'est pas de voler dans les airs, ou de marcher sur l'eau, mais de marcher sur la terre.

Proverbe chinois[1]

L'argent, encore l'argent

Nous débutons ce chapitre avec la thématique des capacités financières, car les conflits autour de la division des frais relatifs aux enfants sont malheureusement très répandus et de nature à saboter bien des ententes.

Une fausse croyance qui perdure encore laisse à penser que la résidence alternée va de pair avec un partage égal des dépenses pour l'enfant entre les parents[2]. Pour plusieurs, ce sujet met les « nerfs en boule » ou fait « grimper aux rideaux ». Certains en parlent comme étant « le nerf de la guerre » et d'autres comme un irritant récurrent. Voyons de plus près les conflits relatifs à l'argent et si possible… les pistes de solution afin de les surmonter.

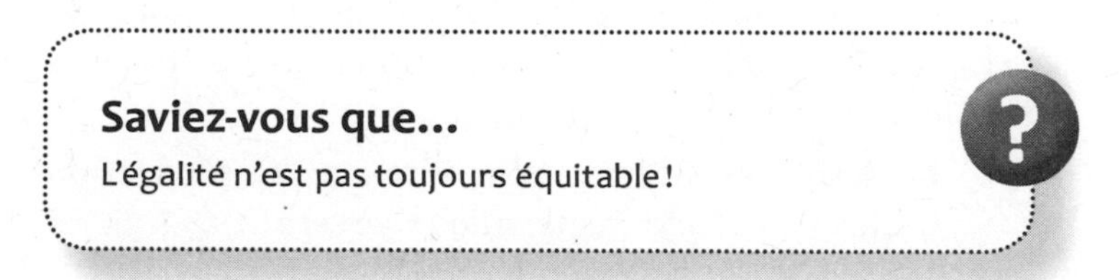

Plusieurs des problèmes reliés au partage des dépenses pour un enfant sont dus soit à des **ententes inéquitables, soit à des ententes imprécises.** Quand les moyens financiers des deux parents présentent un écart sensible, un partage égal pénalise nécessairement celui qui bénéficie d'un revenu moindre et, par ricochet, brime les enfants. Nous vivons dans une société où les revenus des femmes sont encore globalement inférieurs à ceux des hommes. De plus, la rupture entraîne souvent pour elles une baisse plus marquée du niveau de vie, surtout si elles assument plus de responsabilités parentales et qu'elles modulent leur horaire de travail en conséquence.

Saviez-vous que...

Dans 75 % des situations de résidence alternée en France, il n'y a pas de versement de pension alimentaire alors que les hommes gagnent en moyenne mieux leur vie que les femmes[3] ?

Pour diviser de façon équitable les dépenses relatives aux enfants, le fractionnement doit tenir compte de l'écart des revenus des parents. Une contribution du parent plus fortuné peut combler la différence. En plus de permettre de répondre adéquatement aux besoins de l'enfant, l'équité des contributions parentales vise à équilibrer son niveau de vie malgré l'alternance de domicile et à lui assurer une qualité de vie semblable à celle dont il bénéficiait antérieurement.

Nous revenons donc à la responsabilité des deux parents envers l'enfant, que nous avons plusieurs fois mentionnée. Voyons pourquoi certains parents peuvent s'en éloigner.

Les ententes financières confuses, trop succinctes, erronées ou laissant place à l'interprétation peuvent être dues à différentes raisons :

✓ **Le désir d'en finir au plus vite avec la séparation** (« Plus vite ce sera réglé, mieux ce sera ! ») ;

- ✓ **La peur de négocier cet enjeu déjà vécu comme conflictuel du temps de la vie commune** (« Je ne me sens pas la force de recommencer nos éternelles discussions à ce sujet. ») ;
- ✓ **Les difficultés de communication entre les parents** (« On a déjà essayé de faire un budget, mais on est incapables d'en parler calmement et ça dégénère. ») ;
- ✓ **Le manque d'information ou de moyens pour faire valoir ses droits** (« Je ne savais pas qu'on pouvait modifier l'entente et comme je n'avais pas droit à l'aide juridique, je me sentais désavantagée face à mon conjoint. ») ;
- ✓ **La pensée magique faisant croire que l'exercice sera plus facile après quelques mois ou années de séparation** (« Je me disais que quand la poussière serait retombée, on pourrait aller prendre un café et discuter de tout ça. ») ;
- ✓ **La crainte d'envenimer les relations déjà tendues** (« Chaque fois qu'il/elle ramenait les enfants, je lui rappelais que sa contribution n'était toujours pas versée, mais rien ne changeait. J'ai eu peur que le fait d'insister remette en question la division du temps auprès des enfants. ») ;
- ✓ **La culpabilité d'avoir initié la rupture** (« Depuis le début, il me disait que si je partais, je m'arrangerais toute seule ! » ou encore « Je savais que je faisais vivre tout ça à ma femme et à mes enfants ; je voulais qu'ils ne manquent de rien. ») ;
- ✓ **La « fierté » d'un parent (souvent la mère) de pouvoir s'organiser seul sans aide de l'ex-conjoint** (« J'avais promis que je ne lui demanderais rien et c'est ce que j'ai fait ! ») ;
- ✓ **Le désir d'acheter la paix** (« Je n'avais plus l'énergie de négocier. C'est devenu une question de santé mentale. ») ;

- ✓ **La lourdeur associée à cet exercice** (« Je n'ai jamais aimé faire un budget. C'est toujours lui/elle qui s'occupait des finances lorsque nous étions ensemble. ») ;
- ✓ **La complexité de la méthode de division des dépenses ou la difficulté de la tenir à jour** (« Il fallait garder toutes les factures et chaque fois que je présentais les miennes, c'était la guerre. Je devais justifier mes achats et, souvent, il n'était pas question de me rembourser ceci ou cela. ») ;
- ✓ **Le désir de maintenir une forme de contrôle ou de faire payer la rupture à l'autre** (« C'est elle/lui qui a voulu partir, qu'elle/il assume ses choix ! ») ;
- ✓ **Les préjugés persistants comme celui de « vivre au crochet de l'autre »** (« Personne ne pourra m'accuser d'avoir profité de la situation et de me faire entretenir ! ») ;
- ✓ **Le report de la responsabilité financière sur le nouveau conjoint** (« Je suis seul alors qu'il/elle a un nouveau conjoint. Il est normal qu'il/elle paie davantage[4]. ») ;
- ✓ **La répétition de scénarios antérieurs** (« Il/Elle a toujours été celui/celle qui dépense et moi, celui/celle qui compte et qui suis prudent(e). Ça ne peut pas être vraiment différent. »).

Des pistes d'amélioration ou de solution

L'énumération qui précède montre bien qu'il n'y a pas de remède miracle à une réorganisation familiale. Toutefois, comme nous l'avons mentionné auparavant, l'aide d'un tiers professionnel comme le médiateur peut faciliter la reprise du dialogue et redonner un certain pouvoir à chaque parent en les outillant pour maintenir entre eux une communication productive centrée sur l'enfant. Ce service offre aussi l'avantage d'utiliser des outils concrets pour réaliser cette tâche complexe. Comme l'écrivait Stéphane Ditchev : « Faites la médiation, pas la guerre[5] ! »

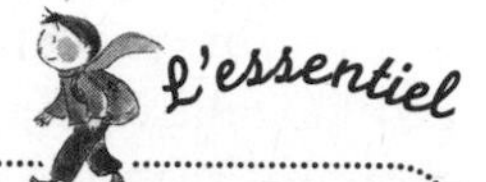

Plus la situation est conflictuelle, plus les ententes doivent être claires et précises.

Il peut être utile, dans un premier temps, de bien identifier **vos valeurs** personnelles et **vos priorités** en ce qui concerne l'argent et la vie de vos enfants[6]. Cet exercice gagne à être ensuite partagé et s'il ne peut être discuté, il aura au moins l'avantage de bien situer chacun des parents et de susciter des attentes réalistes. En voici deux exemples.

Josée, qui aime planifier les dépenses, précise :

« Je préfère investir dans un fonds d'études pour notre enfant dès maintenant plutôt que de m'acquitter d'une dépense plus substantielle plus tard. »

De son côté, son ex-conjoint Martin, dont le budget est plus limité actuellement, s'engage à assumer sa part pour les études de leur fils dès le début du cours collégial.

Faisant face à un désaccord parental concernant le partage des frais d'équipement et d'inscription pour les cours de ski des enfants, Loïc propose ce compromis :

« Je suis prêt à assumer le coût de l'équipement et des activités sportives que nos enfants pratiquent uniquement lorsqu'ils sont avec moi. »

Outre l'application du barème gouvernemental, une bonne façon d'éviter les difficultés supplémentaires lors de la réorganisation familiale est **d'établir un budget détaillé pour l'enfant**. Si les conditions le permettent, les parents peuvent faire l'exercice séparément, puis mettre leurs résultats en commun. Ils peuvent alors établir un principe pour la répartition des frais (par exemple en proportion du revenu de chacun), puis en préciser **les modalités** (celui qui sera responsable de tel achat, comment se feront les remboursements, etc.).

Certains parents optent plutôt pour une contribution individuelle établie selon un pourcentage en déposant un montant mensuel dans un compte bancaire au nom de l'enfant. Cette modalité suppose toutefois que l'utilisation de ce compte soit bien déterminée, en spécifiant par exemple les postes de dépense, et que chacun s'engage à en respecter les ententes.

Quand les frais sont partagés, certains parents indiquent des plafonds à ne pas dépasser (par mois, par enfant ou encore par catégorie de dépense). D'autres fixent simplement un maximum en deçà duquel ils peuvent faire les achats sans consulter l'autre (les parents ne se consultent que pour des dépenses excédant tel montant). Dans ce cas particulier, il faut également s'assurer que la consultation puisse se faire sans raviver de débat ou prévoir davantage d'autonomie en procédant par division des postes de dépense. Ainsi, pour la saison estivale, un parent peut se charger des camps d'été et des loisirs et l'autre, de l'achat des vêtements et de l'équipement sportif. Puis, quand les enfants sont en âge d'apprendre à gérer un budget, un montant mensuel peut leur être octroyé pour des dépenses précises (vêtements, loisirs, cadeaux, etc.).

Une fois que les ententes seront établies et que les façons d'effectuer les suivis seront adéquatement fixées sans être trop contraignantes[7], il vous faudra éviter d'autres pièges si vous ne voulez pas miner le climat de communication que vous tentez de maintenir. En voici quelques-uns :

- ✓ Critiquer le prix des articles achetés et leur utilité ;
- ✓ Surveiller avec acharnement la moindre augmentation du revenu de l'ex-conjoint afin de l'obliger à hausser sa contribution ;
- ✓ Demander à votre enfant de vous aviser dès que l'autre parent fait une acquisition importante ;
- ✓ Comparer les achats effectués dans les deux familles.

Quoi qu'il en soit, dites-vous que si l'argent était une source importante de conflit durant la vie commune, il est fort possible qu'il en soit de même après la rupture. Il faut souhaiter que la division des responsabilités parentales, incluant les responsabilités financières, dépasse la lutte de pouvoir et la recherche d'avantages personnels. Il faut sans cesse ramener l'intérêt de l'enfant au centre de vos discussions, sans quoi la situation risque de se détériorer et l'enfant peut se retrouver coincé dans des jeux d'espionnage ou de comparaison, comme nous le verrons maintenant en abordant les rôles périlleux des enfants.

Les rôles périlleux confiés aux enfants

Malencontreusement, certains enfants se voient confier par leurs parents séparés des rôles périlleux qui les menacent ou qu'ils assument eux-mêmes dans leur désir d'être aimés et de répondre aux attentes perçues. Nous aborderons ici quelques-unes de ces dynamiques préjudiciables. Le but est évidemment de sensibiliser l'ensemble des parents à ces pièges afin qu'ils les évitent le plus possible, et non de les culpabiliser. De plus, il s'agit d'un survol nécessairement réducteur. Vous pourrez, s'il y a lieu, dégager les éléments qui vous apparaissent menacer davantage votre enfant. Bien que les rôles soient présentés en paires, l'enfant peut, dans la réalité, en assumer un de façon plus marquée ou encore en endosser plusieurs simultanément, ce qui accroît les impacts sur son développement.

L'enfant parentifié-confident

Que le parent subisse ou initie la rupture, il est normal qu'il en soit affecté émotionnellement. Un certain temps s'avère nécessaire pour surmonter cette épreuve. Des humeurs dépressives peuvent se manifester, surtout au début, mais s'estompent habituellement avec le temps ou avec de l'aide. Et il est possible que l'enfant apporte occasionnellement un soutien émotionnel à ses parents. Le danger survient quand la détresse du parent perdure et que l'enfant porte ce fardeau avec lui. Il y a alors un renversement des rôles entre le parent et l'enfant, que la littérature qualifie de « parentification[8] ». Le mal-être du parent peut être encore plus manifeste et inquiétant pour l'enfant si ce parent n'a pas de nouveau conjoint à ses côtés pour le soutenir. La solitude peut inciter le parent à « permettre à l'enfant de dormir dans son lit » et à occuper dans la famille une place symbolique disproportionnée. C'est ainsi qu'un enfant peut se retrouver en charge de la surveillance des leçons et des devoirs des plus jeunes, des repas ou de la discipline.

L'enfant qui devient « le parent de son parent » a une bien lourde responsabilité sur les épaules. Peut-être en sera-t-il d'abord valorisé, mais les probabilités qu'il y perde aussi la naïveté de l'enfance sont grandes. Si ce n'est pas toujours le parent qui induit ce rôle, c'est toujours lui, l'adulte, qui doit inviter le jeune à reprendre sa place d'enfant. D'où l'importance pour le parent de soigner ses blessures affectives et de nourrir sa vie personnelle et sociale. Lorsqu'un adulte se définit exclusivement par son rôle parental (ce qui peut être le cas de certaines mères au moment de la rupture et au début de la résidence alternée), il aura un chemin plus ardu à parcourir pour refaire son équilibre sans cesser pour autant d'être un bon parent. Il en est de même d'un parent qui ne reconnaît pas ses difficultés et qui pourrait les faire porter à l'enfant sans en être trop conscient.

J'ai déjà observé de tout jeunes enfants complètement absorbés par les mandats dont ils se sentaient investis. C'est ainsi que Maëlle, 4 ans, me confiait candidement que son papa avait besoin d'elle pour faire le souper… et aussi pour le consoler, ajoutait-elle. Si ces propos sont attendrissants, ils sonnent aussi l'alarme. Maëlle peut être encouragée à participer à de petites tâches à sa mesure, mais elle sera plus en sécurité si son parent peut la rassurer sur ses propres capacités parentales (dont celle de cuisiner[9]), et surtout, sur le fait qu'il a des amis à qui il peut parler de sa peine. L'enfant reçoit ainsi le message qu'elle n'a pas à se faire de souci à cet égard.

L'enfant qui devient le confident de son parent au même titre que s'il était le conjoint substitut outrepasse son rôle d'enfant ou même d'adolescent. Son développement affectif en est souvent perturbé. Des appellations comme « mon petit homme » ou « la petite princesse de papa » peuvent se transformer en compliments empoisonnés si l'enfant a l'impression que son parent a besoin de lui pour vivre et qu'il se sent chargé de remplacer le parent absent auprès de lui. Combien d'enfants sont inquiets au moment de quitter la résidence de leur parent parce qu'ils ressentent sa fragilité et la responsabilité de son bien-être ? L'enfant considère que la pire chose qui puisse lui arriver est qu'on l'abandonne, comme le soulignent la pédopsychiatre Marie-Claude Vallejo et la journaliste Anne Lamy. C'est pourquoi, précisent-elles, il perçoit si fortement le sentiment qu'éprouve son parent laissé seul et qu'il s'inquiète pour lui[11]. L'enfant peut alors vivre difficilement l'éloignement, mais également le retour vers ce parent « tellement en manque d'amour » !

L'adolescent utilisé comme ami-confident du parent est quant à lui souvent valorisé pour la grande maturité dont il fait preuve. Or, les informations que le parent lui communique dépassent sa réelle capacité de compréhension et de réaction. Qu'il s'agisse de documents de cour, de questions de contribution financière, de messages envoyés entre adultes, de nouvelle relation amoureuse, de tracas personnels ou d'idées suicidaires, l'adolescent n'a ni la maturité d'un adulte, ni la distance émotive, ni la compétence d'un aidant. Il est sage de ne pas l'impliquer dans ces enjeux, même s'il manifeste de l'intérêt ou de la curiosité. De plus, le risque d'alliance, de triangulation ou de conflit de loyauté est très grand puisqu'il voudra probablement prendre parti et qu'il risque de se sentir ensuite coincé entre deux adultes qu'il aime.

Dans l'histoire véridique qui suit, Béatrice nous montre bien la complexité des facteurs reliés au maintien ou à la modification de la garde partagée et l'attribution d'un rôle de « protection du parent qui semble le plus fragile ».

Béatrice met fin à la garde partagée

Béatrice a 15 ans. Elle est fille unique et habite un petit village de l'Estrie. Ses parents se sont séparés quand elle était toute petite et la résidence alternée, à séquences hebdomadaires, a été établie alors qu'elle était âgée de 2 ans et demi.

La relation de son père, Sylvain, et de sa mère, Anne, est basée sur une bonne entente qu'ils ont su préserver à travers les années et les changements survenus dans leur réorganisation familiale respective. Leurs valeurs éducatives sont assez semblables quoique Sylvain soit plus permissif et de tempérament plus bohème. Il a eu une autre compagne dans sa vie, mais depuis quelques années, il vit seul. Béatrice a une bonne relation avec lui. Anne a quant à elle effectué une recomposition familiale il y a environ 12 ans. Béatrice s'entend bien avec Charles, qui fait partie de sa vie depuis presque toujours. Elle entretient une étroite relation avec sa mère. Cependant, depuis les deux dernières années, elle tente de la modifier pour trouver sa propre identité. Et cette année, Béatrice a décidé de mettre fin à l'arrangement de résidence alternée et d'habiter principalement chez son père. Elle continue toutefois de voir régulièrement sa mère.

Même si le parent « sait avec sa tête » que le choix de son adolescent de se distancier de lui fait partie du processus d'autonomie et de la « nécessaire faille des générations[12] », il n'en reste pas moins que cette phase de contestation peut être difficile à vivre « pour le cœur ». C'est pourquoi Anne, qui travaille dans le domaine psychosocial, a voulu consulter pour être éclairée et soutenue. On pense souvent à tort que les professionnels en relation d'aide sont à l'abri des problèmes et des questionnements...

Anne a commencé à s'inquiéter des comportements de sa fille l'année précédente. L'événement déclencheur a été un voyage d'échange linguistique au Mexique organisé par le professeur de Béatrice pour tous les élèves de la classe. L'anxiété de Béatrice d'être séparée de ses deux parents en même temps était telle qu'elle a demandé à sa mère de dormir avec elle durant près d'une semaine avant le départ prévu. Anne se demandait si le fait d'avoir débuté à un si jeune âge l'alternance hebdomadaire n'avait pas « fragilisé » sa fille. Elle se souvenait que celle-ci, plus jeune, réclamait parfois l'un ou l'autre parent, mais Sylvain et elle croyaient alors qu'il valait mieux s'en tenir au plan parental établi. Peut-être avaient-ils été trop rigides en craignant la manipulation ?

Ce qui inquiète Anne, c'est que Béatrice, déjà anxieuse, se préoccupe de son père qui est seul et qui s'isole. Elle sait que les adolescents performants comme sa fille, qui semblent outillés pour assumer beaucoup de responsabilités, portent parfois une fragilité affective. On les compare alors à « un moteur de Cessna dans une carlingue de Concorde[13] ». Pour éviter de se méprendre, la vigilance s'impose...

Béatrice en porte beaucoup sur ses épaules lorsqu'elle déclare à sa mère : « Il faut que j'aille m'occuper de papa. » Elle réitère par contre la confiance qu'elle a pour Anne quand elle précise : « Si papa ne va pas mieux, il va falloir que tu t'en mêles un peu... ». Et quelques mois plus tard, quand Anne vérifie si sa fille n'aurait pas préféré résider principalement avec elle, Béatrice rétorque avec sa franchise lapidaire : « Si j'étais toujours restée avec toi, je serais devenue folle ! ».

Malgré le manque de diplomatie de sa fille, Anne est de plus en plus rassurée sur sa qualité de mère et sur la solidité du lien mère-fille qu'elle entretient. Puisque Béatrice peut lui faire face ainsi, c'est que le pont d'attachement entre elles est bien résistant ! On ne peut pas dire que Béatrice protège sa mère... mais elle semble encline à remplir un rôle de soutien auprès de son père.

Surmontant sa peine, Anne constate au fil du temps que les relations sont moins tendues et que Béatrice semble beaucoup plus heureuse depuis qu'elle habite principalement chez Sylvain. L'adolescente passe une fin de semaine sur deux et plusieurs congés scolaires avec Anne et Charles. Elle participe aussi aux rencontres estivales de la famille élargie, mais à petites doses. Il est d'ailleurs recommandé aux parents d'un jeune de cet âge de « saupoudrer un peu de famille plutôt que d'en écœurer l'ado[14] ».

Pour Anne, le changement de modalité constitue tout de même un gros deuil puisqu'elle a vécu la fin de la garde partagée comme un échec et qu'elle éprouve une certaine honte quand les gens s'informent de Béatrice. Pourtant, cette ouverture aux besoins de sa fille et les modifications apportées au plan parental pour amortir les difficultés ressenties par Béatrice sont de grands indicateurs de maturité et, finalement, la démonstration d'un véritable succès de coparentalité. Car comme le précisent les auteures Vallejo et Lamy : « si le lien est solide, on peut tirer dessus et s'éloigner un peu sans risquer de tout casser[15] ».

En dressant le bilan de la situation, Anne note qu'elle a toujours eu de la difficulté à laisser aller sa fille. Elle se rappelle les « vendredis d'errance » et ce vide dans la maison et dans son cœur après les départs de sa petite. Elle se réjouit toutefois que Sylvain et elle aient réussi à maintenir leur collaboration malgré leurs différences. Les forces personnelles que Béatrice démontre aujourd'hui, incluant sa grande sensibilité, sa capacité d'analyse, son charisme, sa perspicacité et sa grande capacité d'exprimer son vécu sont autant d'atouts qui peuvent rassurer Anne sur l'avenir de celle-ci.

Pour ce qui est de Sylvain, se reprendre en mains serait une façon de libérer sa grande fille du rôle qu'elle s'est attribué.

Cet exemple d'enfant parentifié se termine sur une note d'espoir puisque grâce à la vigilance d'Anne et aux forces de Béatrice, celle-ci risque de mieux composer avec le nouveau mandat qu'elle s'est donné auprès de son père. L'exemple illustre aussi que la division du temps de l'enfant auprès des parents séparés est complexe et qu'il ne faut jamais hésiter à réévaluer la situation. La garde partagée n'est jamais une réponse magique : c'est « une affaire de cœur ». Comme le dit si bien la psychanalyste Diane Drory :

« Après tout, qu'on se le dise, sans famille, c'est difficile de se développer et en famille, les enfants se développent tant bien que mal... Et c'est très bien comme cela[16] ! »

L'enfant espion-messager

Les rôles d'espion et de messager comportent eux aussi leurs pièges pour l'enfant. Le rôle de messager est assurément très fréquent quand la communication parentale est déficiente et il repose souvent sur la fausse croyance qu'il est plus facile pour l'enfant de réaliser ce défi que pour le parent. Or, si cette tâche paraît insurmontable pour l'adulte, elle le sera d'autant plus pour l'enfant !

Les parents séparés qui ont opté pour vivre « deux vies parallèles », à l'image des rails d'un chemin de fer, et qui croient qu'ils n'ont plus à s'adresser la parole se retrouvent dans une impasse[17]. Comment transmettre leurs demandes ou les consignes propres à l'alternance de l'enfant sans être en contact avec cet ex-conjoint dont ils voudraient effacer toute trace ? C'est l'enfant qui, rapidement, sert de lien, de postier, de porte-parole, de « traverses » entre les rails, au risque d'être victime d'un « déraillement ». Les parents, incapables de se parler, lui confient cette mission « impossible ». Il devient non seulement responsable du message, mais aussi de la réaction qu'il provoque. Comment arrivera-t-il à plaire à ses deux parents et être aimé par eux en portant des messages empreints de colère, de récrimination ou de frustration ? Même un message plus neutre peut lui paraître complexe lorsqu'il s'agit de le transmettre à l'une ou l'autre des deux personnes qu'il aime le plus au monde, personnes qu'il a peur de blesser ou de trahir dans un contexte où tout semble si fragile, même l'amour. Parfois, l'enfant ressent l'agacement provoqué par ses paroles même si le destinataire du message tente de taire ou de camoufler ses réactions négatives. L'enfant devient alors le bouc émissaire et le petit kamikaze sacrifié.

Il arrive que ce soit le rôle d'espion qui prédomine, surtout quand les parents séparés sont en rivalité. La résidence alternée nourrit alors la cueillette secrète d'information au rythme des déplacements de l'enfant[18]. Des phrases telles que : « Ton père a-t-il eu une promotion au travail ? » (hausse de contribution en perspective) ou « L'ami de ta mère reste-t-il à coucher ? » (désir d'opposition quant à de possibles modifications de l'alternance durant les prochaines vacances) deviennent monnaie courante.

Sans le vouloir, l'enfant fournit ainsi le combustible pour alimenter le conflit… en marchant sur des œufs… en se culpabilisant… et en ne vivant plus sa vie d'enfant. Et s'il retire d'abord quelques avantages et une certaine valorisation de son rôle d'espion ou de messager, les coûts et les risques élevés que ce rôle représente pour lui feront en sorte que le jeu n'en vaudra bientôt plus la chandelle.

L'enfant témoin-oublié

Au cours d'une médiation tumultueuse, j'ai soudainement vu cette image : un beau château en feu, le roi et la reine se disputant à savoir qui en était le responsable... et leurs deux enfants complètement oubliés dans une tour enflammée[19]. Inutile de mentionner que les parents se sont ressaisis lorsque je leur ai partagé ma fantaisie.

Certaines batailles juridiques laissent les parents démolis, épuisés et endettés. Elles laissent également les enfants dans un piètre état puisqu'ils croient souvent être la cause de tous ces conflits. Il arrive qu'ils se sentent seuls, peu désirés, oubliés ou laissés-pour-compte dans cette guerre d'adultes qu'on leur dit pourtant faire pour eux.

« Mon souvenir le plus triste, dit Simon, c'est d'avoir été nous battre par le biais des avocats et devant la justice pendant presque trois ans. Les énergies négatives que ça dégage font en sorte que nous devenons des parents préoccupés, choqués et blessés. Et parfois hargneux. L'enfant, même si la situation lui est cachée, le ressent au quotidien. »

Les difficultés de Nicolas

Pour Madeleine, les requêtes contestées se sont multipliées depuis deux ans concernant le plan parental établi pour son fils Nicolas. La division des frais pose problème, surtout en ce qui a trait aux services spécialisés. Nicolas a 7 ans et alterne de domicile sur une base hebdomadaire depuis la séparation de ses parents. Pour Hugo, son père, il s'agit d'une deuxième rupture conjugale et ses attentes parentales et financières sont claires. Il ne croit pas au diagnostic de trouble de déficit d'attention avec hyperactivité (TDAH) de son fils et attribue les difficultés de l'enfant au manque d'encadrement de Madeleine. Celle-ci précise que même le professeur de Nicolas n'arrive pas à lui imposer des limites en classe. Les trois évaluations professionnelles faites auprès de l'enfant n'arrivent toutefois pas aux mêmes conclusions, ce qui ajoute à la confusion. Les parents continuent d'avoir les mêmes conflits que durant leur vie commune en ce qui touche à l'éducation de Nicolas. Ils s'accusent mutuellement des problèmes de l'enfant. Madeleine a accepté de ne pas médicamenter Nicolas pour tenir compte de l'avis de Hugo. Ce dernier a proposé une « thérapie pour améliorer leur communication », mais Madeleine a refusé puisqu'elle y voit une stratégie motivée par l'aspect financier. Voilà une triste situation où l'enfant aurait bien besoin que ses parents fassent équipe pour lui !

L'enfant qui voit ses deux parents se disputer constamment est dans une situation de grande vulnérabilité puisqu'il est dépendant de ces adultes. On peut l'imaginer passager d'un avion où il observerait les copilotes se disqualifier et même se battre… Il pourrait, avec raison, craindre pour sa vie !

Cette escalade conflictuelle qui perdure après la rupture et par-delà la garde partagée pose de sérieux problèmes. Pourtant, il arrive que ce soit l'enfant qui réclame le maintien de la résidence alternée dans des climats conflictuels où les parents présentent des lacunes parentales importantes. On pourrait penser qu'il tente à sa façon, dans ces situations d'extrême fragilité, de maintenir une apparence d'équilibre et de sécurité, du moins dans le partage égal des jours avec chacun de ses parents. Malgré cela, il arrive que rien ne semble pouvoir arrêter cette guerre, sauf peut-être la menace ultime d'un juge évoquant le placement de l'enfant. Or, comme le dit si bien le juge Oscar d'Amours :

> « Le mauvais droit est celui qui attise les conflits […] Nous avons besoin d'une approche multidisciplinaire axée sur l'enfant pour mieux répondre à ses besoins et protéger ses droits […] et cette révolution est inachevée[20]. »

L'exemple le plus troublant d'enfant témoin-oublié qu'il m'ait été donné de constater concerne un conflit parental aigu qui s'est étendu sur plusieurs années. Un fils unique était coincé au centre des litiges opposant ses parents. Il ne semblait jamais y avoir d'accalmie. Or, on sait que l'identité d'un enfant basée sur des parents qui se noircissent mutuellement ne peut qu'en être profondément affectée. Comme par un effet de miroir, l'enfant en arrive à se détester, en partie ou complètement, et son estime de soi se dégrade. Prisonnier de cet interminable conflit, le fils en question s'est suicidé. Comble de l'absurde, ses parents se sont retrouvés au tribunal dans une requête contestée pour inhumer le corps de leur fils dans l'une ou l'autre de leurs villes de résidence. Cet exemple extrême donne froid dans le dos... mais illustre bien que même la mort ne peut mettre fin aux conflits si les parents ne décident pas de faire la paix.

Pour terminer sur une note plus optimiste, je m'inspirerai des paroles de la juge Odille Fabre Devillers qui nous rappelle que nous sommes tous faits des traumatismes qu'on a subis, mais qu'on doit se responsabiliser à soigner nos souffrances[21].

Une seule solution envisageable : rétablir la communication parentale

Philippe et Claudie, séparés depuis six ans, sont revenus en médiation. Ils ont conclu que l'unique solution pour rétablir le pont parental était de **mettre fin aux hostilités et de rétablir une communication parentale centrée sur leur enfant.** Philippe se dit « enfermé dans sa tranchée ». Il souligne qu'il fait cet effort de paix pour son fils et qu'il s'agit d'une obligation pour lui, considérant que le climat actuel est néfaste et que cela ne peut plus durer. Claudie ajoute qu'elle le fait aussi pour sa propre santé mentale parce que ce n'est pas rigolo de gâcher ainsi son temps avec tous ces malentendus[22]. Tous deux veulent faire équipe même si leurs blessures et leurs déceptions embrouillent parfois leurs perceptions. Philippe en a assez de se sentir incompétent et Claudie n'en peut plus d'être celle qui prend tout en charge. Ils entreprennent un travail colossal de « reconstruction » de la confiance et de la collaboration qui, selon les réactions de leur fils, porte rapidement ses fruits.

Quand la garde partagée n'est pas ou plus appropriée

Les rôles périlleux que nous avons décrits précédemment ne présentent pas tous le même degré de dangerosité. Ils seront plus dommageables s'ils sont attribués à l'enfant à répétition ou de façon chronique et sans que le ou les parents ne réalisent vraiment la portée de leurs demandes ou de leurs attentes. Par contre, un parent qui prend conscience de ces pièges peut y remédier. Quelle que soit la modalité de partage du temps entre les parents, il est bon de rester vigilant à cet égard, comme nous l'avons vu dans le récit de Béatrice.

Par ailleurs, un parent qui ne peut assumer la responsabilité de son enfant à cause de problèmes personnels graves ne saurait, sauf exception, le faire à temps partiel. Comme nous l'avons souligné précédemment, la motivation à établir ou maintenir une résidence alternée doit être sincère, dépasser la lutte de pouvoir, s'enraciner ailleurs que dans le gain financier ou l'avantage du temps libre (quoique ces éléments puissent entrer en ligne de compte), et surtout, assurer la protection et le bien-être de l'enfant.

Il n'y a pas de parents parfaits, mais nous ne pouvons pas pour autant affirmer que tous les parents sont de bons parents, capables d'un minimum de collaboration centrée sur le bien-être des enfants. **Même pour des parents compétents et coopératifs, la garde partagée peut ne pas être appropriée momentanément, que ce soit à cause du mode vie, des obligations professionnelles, des contraintes géographiques ou matérielles ou de la composition et de la dynamique de la famille recomposée.** Il arrive également que l'enfant éprouve des difficultés ou ait des besoins particuliers qui nécessitent une plus grande stabilité physique, par exemple des troubles de santé ou des problèmes d'adaptation psychosociale. On ne peut donc pas conclure que la résidence alternée soit un mode de garde idéal qui convienne à tous les parents, à tous les enfants et dans tous les contextes. En effet, les conditions d'application sont plus importantes que la modalité de plan parental en soi.

Comme parents, nous avons tous droit à l'erreur... d'autant plus que nous pouvons apprendre de ces erreurs et tenter d'en minimiser l'impact sur l'enfant. Une équipe parentale forte est avant tout basée sur le respect de la règle des trois « C »: communiquer, coopérer et concilier !

Quatre suggestions pour faciliter la communication avec un parent qui éprouve des difficultés

✓ **Tentez de reformuler les blâmes en demandes.** Au lieu d'employer le « tu » et de dire, par exemple : « Tu ne t'occupes pas assez de Carl quand tu es avec lui ; il me le dit chaque fois qu'il revient de chez toi », utilisez plutôt le « je » pour exprimer vos craintes et suggérer une piste d'amélioration sans l'imposer. Vous pourriez notamment dire : « Parfois, j'ai peur que Carl se distancie de toi... J'apprécierais que tu lui proposes une activité que vous aimez tous les deux lors de son prochain séjour. Je crois qu'il serait content. »

✓ **Évitez si possible les termes « toujours » et « jamais »,** qui ont pour effet de généraliser le problème et d'emprisonner dans un sentiment d'impuissance.

✓ **Imaginez-vous à la place de votre enfant...** Vous pouvez aussi suggérer au coparent de faire cet exercice avec vous et d'en discuter « amicalement ».

✓ **Utilisez les difficultés comme tremplin d'amélioration,** c'est-à-dire en vous demandant ce que vous pourriez faire pour éviter qu'une telle situation se reproduise.

Que faire si un parent craint pour sa propre sécurité ou encore pour celle de son enfant quand celui-ci est avec l'autre parent ?

La garde partagée ne saurait à elle seule apporter la solution à tous les problèmes, pas plus qu'elle ne saurait être identifiée comme étant la cause unique des difficultés vécues par l'enfant. Comme le précise Francine Cyr, il faut toujours se demander pour quel enfant, avec quel père et avec quelle mère sera vécue cette organisation avant de la recommander[23]. Et si une résidence alternée est déjà en place, il faut prendre le temps d'en saisir toutes les composantes, car c'est la façon dont elle est vécue qui pourra nous éclairer sur la pertinence de la maintenir ou non.

Si un parent s'inquiète pour sa propre sécurité ou celle de son enfant, c'est habituellement parce que l'autre parent éprouve de graves problèmes. Le père ou la mère aux prises avec ces problèmes peut s'avérer « toxique » pour l'enfant, du moins temporairement. Si rien n'est fait, l'enfant en paiera le prix. C'est pourquoi un degré de dangerosité doit être établi. Il ne faut pas se mettre en danger soi-même ni exposer l'enfant à des situations qui compromettent sa sécurité ou son développement. **C'est le devoir du parent de protéger son enfant.** Le meilleur intérêt de ce dernier doit servir de repère tant pour les parents que pour les professionnels ou encore pour le tribunal.

Chaque situation mérite d'être bien évaluée, sans banaliser les craintes ni nourrir les peurs irrationnelles. Il peut arriver que le « parent inquiet » ait besoin d'objectiver ses perceptions avec l'aide d'une personne neutre. Lorsqu'un des parents se préoccupe davantage des soins, de l'hygiène et du suivi éducationnel de l'enfant, l'avis d'un tiers impartial peut parfois être utile. N'est-il pas rassurant d'entendre les éducateurs du service de garde ou le professeur de l'enfant confirmer qu'il leur est impossible de voir une différence entre les jours passés chez papa et ceux passés chez maman ? **En revanche, quand l'enfant arrive fatigué à l'école, et ce, plusieurs jours de suite,**

qu'il est lunatique, agressif ou souvent absent, que sa boîte à lunch est moins garnie, que son apparence est négligée, que les devoirs sont moins soignés ou que les messages du professeur restent sans réponses... les différences observées selon les périodes d'alternance peuvent être révélatrices et devraient inciter à effectuer des changements pour améliorer la situation. Il serait sage que le parent qui fait ces observations en parle d'abord à l'autre en lui faisant part de ses inquiétudes, si possible sans le blâmer, pour ensuite tenter de corriger les lacunes. Le fait d'offrir sa collaboration au parent en difficulté peut parfois éviter des recours au système adverse et bien des coûts affectifs et financiers. J'ai été témoin, par exemple, d'une entente de modification temporaire du partage du temps jusqu'à ce qu'un parent, alors en arrêt de travail pour cause d'épuisement, reprenne des forces et retrouve l'énergie nécessaire pour assumer sa part des responsabilités parentales.

On ne peut toutefois passer sous silence le fait que certaines demandes de garde partagée peuvent paradoxalement cacher un appel à l'aide ou un désir de désengagement partiel. Il arrive en effet que l'un ou l'autre des parents soit trop pris par sa vie personnelle, qu'il vive un sentiment d'impuissance parentale plus ou moins avoué ou un essoufflement et un désir d'en faire moins. Il se peut aussi qu'un parent, ou même les deux, rencontre des difficultés majeures dans la réorganisation de sa vie ou face à un enfant et que le partage du temps et des responsabilités lui apparaisse alors comme un moindre mal en comparaison avec la responsabilité complète de l'enfant. Ce partage égalitaire pourrait alors se présenter comme une mesure de prévention en équilibrant, du moins un peu plus, les responsabilités et les charges de chacun. Il faut toutefois rester vigilant pour que l'enfant n'ait pas à payer le prix de compromis trop lourds.

Comment agir dans les cas les plus urgents ?

Dans les cas plus graves, il faut vous assurer d'avoir le soutien et l'éclairage suffisant pour bien évaluer la dangerosité de la situation et prendre des mesures adéquates. S'agit-il de comportements violents, d'instabilité ou d'immaturité affective, du dénigrement systématique de l'autre parent, de troubles de la personnalité, de négligence, d'abus, de criminalité, de jugement défaillant, de dépendance au jeu, de consommation abusive d'alcool ou de drogue ? Parfois, ces problèmes existaient du temps de la vie commune et sont connus des parents, mais le contexte a changé et la situation peut s'être détériorée. Dans d'autres cas, les difficultés semblent davantage reliées à la rupture, à des stress supplémentaires vécus par le parent ou encore à l'arrivée d'un nouveau partenaire non adéquat pour l'enfant. Peu importe leur cause, ces problèmes ne peuvent être ignorés. Une investigation psycholégale s'avère parfois nécessaire pour bien cerner l'impact du ou des problèmes décelés sur l'enfant et sur la capacité ou non du parent de jouer son rôle parental, de protéger l'enfant et d'en prendre soin convenablement.

Dans le meilleur des scénarios, la reconnaissance du problème par le parent qui l'éprouve peut constituer le premier pas vers une demande d'aide et un début de changement. Il arrive que le désir que son enfant ne souffre plus de la situation problématique devienne une réelle motivation au changement pour le parent en difficulté, par exemple dans le cas de problèmes de dépendance.

Saviez-vous que...

Au Québec, la *Loi sur la protection de la jeunesse*[24] peut s'appliquer lorsqu'il apparaît clairement que la sécurité ou le développement d'un enfant sont compromis. Cette loi intègre les violences psychologiques comme un motif de signalement et reconnaît aussi que l'exposition à la violence conjugale et familiale est préjudiciable à l'enfant.

Les problèmes de consommation d'un parent, particulièrement de la mère, sont trop souvent tus ou minimisés par celui-ci, et même par les deux parents. Mon expérience professionnelle m'incite à croire qu'en présence de problèmes majeurs ou d'émotions vives, la perception qu'ont les parents du meilleur intérêt de l'enfant s'embrouille. L'enfant est alors en danger, qu'il y ait ou non un partage égal de l'alternance parentale. Annie Devault, professeure et chercheuse à l'Université d'Ottawa[25], croit à la réhabilitation des pères de milieux fragiles qui ont été aux prises avec des problèmes de toxicomanie ou autres. Elle croit également à l'impact positif que peut avoir pour ces hommes l'arrivée d'un enfant dans leur vie. Cet engagement peut constituer un moment charnière motivant un changement de mode de vie et une mobilisation pour prendre soin et subvenir aux besoins de l'enfant.

Un consensus se dessine toutefois à l'effet de **ne pas faire porter à l'enfant la responsabilité de sauver son parent. Sa sécurité et son développement doivent nous servir de balises dans cette réflexion.**

Isabelle Côté, travailleuse sociale d'expérience, a été témoin de plusieurs succès de coparentalité. Mais elle mentionne aussi avoir eu à intervenir dans des situations où la résidence alternée avait été mise en place sans en considérer réellement les conséquences. Celles-ci montraient pourtant que ce mode de garde aurait dû être exclu. Elle a constaté que des problématiques sérieuses semblaient parfois être passées sous silence et avaient entraîné, par la suite, des répercussions négatives chez des enfants vivant une garde partagée. Elle reste perplexe lorsque le père est, par exemple, engagé dans une résidence alternée dans des situations de violence conjugale formellement reconnue au criminel ou de violence psychologique (non criminalisée). Les tribunaux ont en effet tendance à faire la distinction entre la violence faite à l'un des parents et la relation du parent violent avec l'enfant. Ils tendent à prioriser le maintien d'un maximum de contacts de l'enfant avec chacun des parents sans tenir compte de toutes les conséquences potentielles de la violence sur son développement ultérieur[26].

Denyse Côté, sociologue, note pour sa part que des femmes interviewées en maison d'hébergement se sentent prises au piège puisque, d'un côté, elles tiennent à ce que leur enfant maintienne un contact soutenu avec leur père, et de l'autre, elles sont dépassées par l'absence de moyens mis à leur disposition pour assurer leur propre sécurité[27]. Selon ses observations[28], l'implication du père dans le soin des enfants durant la vie commune pourrait être l'un des facteurs associés à une plus grande probabilité que la garde partagée fonctionne et que la violence cesse après la rupture. Mais on sait que le divorce (même associé à une résidence alternée) ne met pas nécessairement fin à la violence et qu'il a même parfois pour effet d'amplifier le désir de contrôle qui nourrit celle-ci. C'est pourquoi la chercheuse encourage le développement de solutions novatrices et soucieuses à la fois des enjeux de sécurité et du lien parent-enfant.

Cette préoccupation est d'autant plus justifiée quand on sait, comme nous l'avons vu, que les tribunaux préfèrent entendre le « parent amical » qui ne critique pas l'ancien conjoint violent et qu'ils encouragent des contacts fréquents et sans restrictions de l'enfant avec le parent violent. Comme le reconnaissent des avocats de renom[29], il est fréquent que le procureur de la partie adverse indique au tribunal que les remarques relatives à son client ne visent qu'à le discréditer en tant que parent et constituent une tentative d'aliénation des enfants.

Or, l'aliénation parentale est « un phénomène fourre-tout et en manque de validité scientifique » comme le souligne la chercheuse et travailleuse sociale Élisabeth Godbout[30]. Ce concept controversé, qui réfère à une alliance de l'enfant avec le parent aliénant menant au rejet complet de son autre parent, a souvent été erronément invoqué. L'aliénation parentale peut ainsi être vue comme « une extension du conflit conjugal chez l'enfant». C'est un peu comme si l'enfant faisait sienne la haine d'un parent envers l'autre, comme s'il jugeait son parent à travers le filtre de l'autre au lieu de se fier à ce qu'il ressent personnellement. La prudence est de mise dans l'utilisation de ce terme et une vision systémique du phénomène (c'est-à-dire qui tient compte à la fois des caractéristiques, comportements et attitudes du parent aliénant, de l'enfant et du parent aliéné de même que de l'interaction entre tous ces éléments) est requise. En effet, il existe tout un continuum dans les relations parent-enfant en contexte de séparation conjugale et, ainsi, plusieurs nuances à apporter. Quand l'enfant exprime de l'hostilité de façon temporaire ou occasionnelle et manifeste tout de même de l'affection à ses deux parents, le diagnostic ne peut être le même que s'il montre un rejet chronique et sans aucune ambivalence.

Il est aussi possible qu'un enfant coupe le lien avec un parent sans être victime d'aliénation parentale, c'est-à-dire de son propre gré et sans y être encouragé par l'autre parent. On parle alors de « détachement réaliste ». Gilles Tremblay, travailleur social et chercheur, rappelle que ce désir peut être sain et légitime. Le but n'est pas que l'enfant connaisse ou vive absolument et à tout prix avec son père ou avec sa mère, mais plutôt qu'il se développe bien et qu'il soit heureux. C'est pourquoi, dans pareil cas, on doit plutôt se demander : « Que vit l'enfant avec le parent ? ». Car l'absence d'un parent peut entraîner la souffrance de la perte chez un enfant, mais pas nécessairement compromettre son développement, comme le démontrent entre autres les recherches sur les enfants dont le père est mort à la guerre et qui gardent de lui, avec l'aide de leur mère, une image très positive[31].

Il arrive que l'enfant veuille d'abord prendre soin du parent qui est aux prises avec un problème sérieux qui perdure et qu'il s'oblige en quelque sorte à être auprès de lui, comme nous l'avons vu dans le récit de Béatrice. Par ailleurs, il peut souffrir à la fois de voir son parent dans cet état et de jouer un rôle trop exigeant pour lui. Après quelques années à vivre ce type de relation, j'ai vu des jeunes se détacher complètement de leur parent, déçus des promesses non tenues et de leur triste enfance passée à s'inquiéter pour cet adulte en difficulté et peu disponible affectivement.

Ce « détachement réaliste » devient parfois la porte de sortie d'une relation de piètre qualité.

Pistes de solutions professionnelles ou institutionnelles

L'aide thérapeutique

Si le détachement de l'enfant fait suite au dénigrement d'un parent envers l'autre (père ou mère) et qu'il est lié à une instabilité émotive, il est extrêmement perturbant pour le parent victime et pour l'enfant. L'identité de l'enfant devenu adulte pourra même en souffrir[32]. Il est donc plus que souhaitable que les parents séparés n'en viennent jamais à se considérer comme des ennemis, puisque cette dynamique est très destructrice. Il arrive cependant qu'un parent profondément blessé par la rupture préfère conserver un lien de colère, de rancune et de vengeance avec son ex-conjoint plutôt que de ressentir la tristesse et le vide. Comme nous l'avons mentionné précédemment[33], une aide thérapeutique est parfois nécessaire pour accueillir ces émotions souvent reliées à des traumatismes antérieurs et ravivées par ce nouvel abandon[34]. Cette compréhension peut parfois éviter au parent de reproduire avec son enfant ce qu'il a subi durant sa propre enfance.

Saviez-vous que...

La sagesse de la citation suivante, de Nelson Mandela, prix Nobel de la paix, peut être inspirante dans différents contextes : « La rancune est comme boire du poison en espérant que ça tue nos ennemis. »

Les ordonnances temporaires avec suivi

Devant les problèmes vécus par plusieurs parents en conflit qui se disent aspirés dans une spirale de batailles juridiques, on peut se demander s'il est possible d'arriver à une décision éclairée du tribunal en évitant l'abus de procédures et en offrant aux parents des ressources d'accompagnement. En France, certains juges aux affaires familiales ordonnent une résidence en alternance pour une durée de six mois, en général, et demandent ensuite à revoir les parents pour prendre une décision définitive[35]. Il semble que dans certains districts judiciaires du Québec, des juges de la Cour supérieure appliquent également cette forme de suivi. Ces pistes de solutions sont sûrement à explorer pour mieux servir l'intérêt de l'enfant et de toute la famille dans un contexte de rupture et de réorganisation familiale.

Un tribunal de la famille et un réseau d'aide concerté

Des intervenants soulignent le manque d'arrimage entre les différents tribunaux dans les situations de ruptures conjugales découlant d'une agression du conjoint et dans les décisions rendues par la suite concernant les enfants[36]. On mentionne que plusieurs femmes violentées par leur conjoint craignent d'indisposer le juge et de perdre la garde de leurs enfants si elles demandent des droits d'accès supervisés pour le père. Il en est de même pour des pères inquiets par certaines attitudes dévastatrices des mères envers leurs enfants, attitudes souvent reliées à des problèmes personnels majeurs. Dans ces situations, les pères peuvent aussi craindre d'être taxés de fauteurs de troubles s'ils insistent et, ainsi, de se voir retirer la garde partagée.

C'est pourquoi la création d'un tribunal de la famille est encore souhaitée au Québec, au Canada et en Belgique[37]. Visant le même objectif d'améliorer le sort des couples en rupture et de leurs enfants, on recommande également depuis une dizaine d'années au Québec la création d'un réseau d'aide concerté permettant la mise en place de programmes de prévention et de médiation ainsi que le suivi des dossiers et l'identification rapide des plus conflictuels d'entre eux afin qu'une intervention sur mesure puisse être effectuée par des professionnels neutres et qualifiés[38].

Services de médiation

Bien que la médiation se distingue de la thérapie, plusieurs croient à l'impact thérapeutique qu'elle peut avoir sur les parents, surtout lorsqu'elle est pratiquée par des médiateurs habilités à composer avec la complexité des enjeux psychosociaux. Certaines recommandations du tribunal concernent d'ailleurs le recours à ces services dans le but d'améliorer la communication entre les parents et, par le fait même, la coparentalité.

Jugements assortis de conditions pour le parent en difficulté

Certains jugements en matière familiale prévoient déjà des conditions assorties aux contacts du parent quand ses difficultés interfèrent avec ses capacités parentales. Préalablement ou parallèlement à l'instauration d'un plan parental, le tribunal peut recommander au parent de s'engager formellement dans une démarche thérapeutique. On s'assure ainsi de ne pas couper le lien de ce parent avec son enfant et de faire en sorte que le temps passé auprès de lui soit plus positif pour chacun ou le devienne. Le parent motivé a ainsi l'occasion d'améliorer ses capacités parentales et la qualité de sa relation avec son enfant. Cependant, le suivi de ces recommandations n'est malheureusement pas toujours assuré et l'autre parent doit rester vigilant. L'une des conditions pour assurer un encadrement sécuritaire consiste d'ailleurs pour le tribunal à faire appel à la surveillance par des membres de la famille ou à la présence vigilante de tiers. À titre d'exemple, des grands-parents conscients des risques encourus par l'enfant et capables de se distancier suffisamment de leur propre fils ou fille pourront parfois contribuer à offrir un cadre sécurisant à l'enfant en présence du parent

Services de supervision parent-enfant

Parallèlement au cadre familial, des services de supervision parent-enfant, par exemple dans des « maisons de la famille », sont disponibles dans quelques districts judiciaires au Québec. En Europe, ces lieux de supervision sont connus sous l'appellation « Espace Rencontre ». Plusieurs déplorent toutefois, du moins au Québec, le peu de volonté politique de reconnaître l'importance de ces services et de leur octroyer les ressources humaines et financières nécessaires pour en assurer la qualité et la pérennité.

En conclusion

Je reprendrai simplement les propos de Gilles Tremblay en rappelant que le but n'est pas que l'enfant connaisse ou vive absolument et à tout prix avec son père ou avec sa mère, mais plutôt qu'il se développe bien et qu'il soit heureux. « Il faut éviter de faire de la garde partagée une nouvelle chapelle », dit-il, car il s'agit d'une formule intéressante, mais non miraculeuse. Et j'ajouterais que cette invitation à la prudence est d'autant plus pertinente dans les situations caractérisées par de graves problématiques.

Pour boucler ce dernier chapitre, je vous propose d'abord une **liste d'attitudes « empoisonnantes » et de « contrepoisons »**. Et pour terminer, le **conte de Fido,** dont vous pourrez vous inspirer pour parler de la résidence alternée avec votre enfant et sans doute atténuer les écarts entre ses deux milieux de vie.

Attitudes « empoisonnantes »

- S'en remettre entièrement à la discipline de l'autre et tout permettre à l'enfant ;
- Essayer de contrôler l'autre parent ;
- Disqualifier l'autre parent aux yeux de l'enfant ou vérifier constamment s'il s'y prend bien avec lui ;
- Questionner l'enfant sur les règles établies par l'autre parent ;
- Contacter l'autre parent dès qu'il y a un désaccord entre l'enfant et vous et l'appeler à votre secours ;
- Accuser le conjoint de l'autre parent de tous les torts ;
- Questionner l'enfant sur ses préférences entre ses deux milieux de vie.

Contrepoisons

- Faire confiance aux capacités de l'autre parent dans les limites du raisonnable ;
- Reconnaître les différences de fonctionnement entre les deux parents ;
- Si possible, mettre en valeur les gains que les différences des milieux de vie offrent à l'enfant ;
- Rester attentif aux besoins de l'enfant tout en refusant toute manipulation de sa part ;
- Être cohérent et persistant dans ses propres exigences de parent ;
- Ne pas s'ingérer dans les affaires de l'autre parent (sauf si l'enfant est en danger) ;
- Maintenir, pour l'enfant, une image positive de son autre parent (sans toutefois lui mentir) ;
- Accorder la priorité au bien-être de l'enfant ;
- Maintenir la communication parentale ;
- Éviter d'interpréter et vérifier les perceptions négatives qui peuvent survenir ;
- Faire preuve de souplesse et être prêt à faire des concessions ;
- Protéger l'enfant des conflits de loyauté et des alliances.

Le conte de Fido[39]

Le conte qui suit évoque le fait d'avoir deux maîtres bien différents mais respectivement chéris. Il rappelle que ce ne sont pas les différences parentales en soi qui posent problème, mais plutôt l'existence de frontières étanches entre les deux univers de l'enfant. L'approche qui prévaut se veut ludique et préventive en incitant à remettre l'enfant au centre des préoccupations. Les pistes de réflexion qui y font suite s'adressent à l'adulte, mais les pistes d'échanges ouvrent sur un dialogue avec l'enfant.

Fido a deux modèles

Depuis leur séparation, Dorée McRiver et Fox Leterrier peuvent, enfin, aller au bout de leurs différences. Leurs deux années de vie commune ont été une telle source de frustrations quotidiennes qu'on se demande même comment ils ont pu décider un jour de cohabiter.

Ces deux années ont toutefois donné lieu à quelques moments de bonheur exceptionnel. L'un d'eux s'appelle Fido et a aujourd'hui 5 mois. Il est le plus adorable et le plus enjoué des chiots. Il aime mordiller les pantoufles, gambader aux côtés de Dorée ou de Fox et se rouler dans les feuilles mortes ou la neige folle. Il a eu beaucoup de peine en apprenant que ses parents se séparaient et que jamais plus ils n'habiteraient ensemble tous les trois. Mais Dorée lui a expliqué que ce qui arrivait n'était nullement sa faute et que ses parents l'aimeraient toujours. Fox l'a rassuré en lui promettant qu'ils continueraient de le voir presque aussi souvent qu'auparavant et de prendre soin de lui.

L'idée d'avoir deux niches lui a d'abord paru très réjouissante. Il aurait encore plus à croquer et à explorer. De plus, il aimait tellement ses deux parents qu'il ne voulait être séparé ni de l'un ni de l'autre. Son petit cœur de chiot aurait été bien torturé s'il lui avait fallu choisir. Voilà ce qui semblait être le mieux dans la pire des situations.

Dès la première semaine de cette nouvelle vie, Fido a l'impression de vivre dans des mondes opposés, de vivre aux deux extrémités de la planète. En chiot malin, il a toujours su que ses parents étaient différents l'un de l'autre. Fox aime bien jouer dans les mares tandis que Dorée préfère les lacs. À l'heure des repas, Dorée ne laisse jamais rien dans son plat alors que Fox éclabousse partout quand il boit. Quand ils sont fâchés, Dorée jappe et Fox montre les crocs. Queue et oreilles rabattues, l'air piteux, Fido menace parfois de se réfugier chez l'autre parent.

Chez Fox, Fido aime courir et explorer. Il n'a pas de laisse et peut se rendre jusqu'au boisé avoisinant sans que personne ne lui jappe de revenir. Il joue tellement que parfois il s'effondre d'épuisement à la tombée du jour. Le plafond est bas et il fait très chaud à l'intérieur de la niche paternelle. Fido s'imagine parfois avec horreur qu'il devient un chien chaud.

La niche de Dorée est spacieuse, mais les courants d'air la rendent frigorifique en hiver. Fido y attrape des grippes et, à certaines périodes, l'inflammation de sa gorge est telle qu'on n'entend même plus son jappement. Et ce que Fido déteste par-dessus tout, c'est d'être relié par une corde à la niche maternelle. Il a tenté à plusieurs reprises de s'en défaire, mais il n'a réussi qu'à se meurtrir le cou et à s'attirer le regard courroucé de sa mère. Il ne peut toutefois pas résister aux gros os juteux et bien apprêtés que Dorée lui permet de croquer tout seul, comme un grand. Fox, lui, a toujours un coup de patte réprobateur pour son fiston trop glouton.

Depuis que Dorée et Fox s'affairent à réorganiser leur niche, le temps file! Pour eux, c'est la cadence essoufflante entre une vie de chien libre et des périodes de responsabilités envers un chiot. De son côté, Fido a l'impression de passer du jour à la nuit à chaque déplacement. On dirait que ses deux niches se situent à quatorze années-lumière d'écart et qu'il y a un fragile élastique tendu entre les deux. Le problème, loin de se résoudre avec le temps, s'amplifie puisque Dorée et Fox n'ont pas échangé un jappement depuis des semaines. Ils ont l'air de savourer leurs différences en silence et ils s'échangent Fido à l'entrée de la niche. Celui-ci se demande même si ses parents s'aperçoivent jusqu'à quel point leur vie est différente et comment les transitions sont difficiles pour lui.

Une nuit, Fido rêve qu'il est au cœur des préparatifs d'un voyage avec des chiens esquimaux du Grand Nord. Les traîneaux débordent de leur lourd chargement. Les crans d'arrêt ont peine à retenir les chiens qui jappent d'impatience et trépignent les uns derrière les autres. Cette agitation fébrile les emporte soudainement et ils s'élèvent dans le ciel. Quand Fido repose ses pattes sur terre, il constate avec consternation qu'il est au milieu de la forêt équatoriale. L'air regorge d'humidité et des oiseaux de toutes les couleurs jacassent et voltigent à travers une végétation touffue. Fido transpire abondamment et tremble jusqu'aux os. Son épais poil blanc, si confortable dans le Grand Nord, est devenu insupportable sous ce climat.

La sueur lui brûle les yeux, mais il distingue tout à coup une forme sombre qui se profile entre les lianes. Un joyeux chimpanzé, couronné de plumes de toucan, s'approche de lui, l'air compatissant. Il puise dans une gourde un liquide rafraîchissant qui fait du bien à Fido, puis il s'assoit à ses côtés. Sitôt lié d'amitié, Fido lui relate en toute confiance les malheureux écarts de sa vie de chien.

Au petit matin, quand Fido ouvre les yeux, il raconte son rêve à Dorée. Comme il change de niche cette journée-là, Fox est vite informé à son tour. Confrontés au message révélateur du rêve de leur chiot, les parents organisent une rencontre à mi-chemin entre les deux niches.

Il y a de sérieuses questions à débattre, mais les parents de Fido ont beaucoup de flair. Faut-il lui enlever toute laisse, la rallonger ou l'utiliser seulement lors des dangereux soirs de pleine lune ou des excursions en forêt ? Est-il préférable de moins chauffer une niche, de tondre Fido durant la saison torride, de l'emmitoufler pour qu'il ne s'enrhume pas ? Une solution ne serait-elle pas d'attacher à son cou un petit baril de médicaments, comme celui de son copain Bernard ? Quelle forme de dressage serait la plus adaptée à leur chiot bien-aimé ? Faut-il lui donner plus de corde, le remettre au pas plus souvent ou ajouter des récompenses stimulantes ?

Après quelques grognements et l'énumération d'options ingénieuses, des choix se dessinent. Dorée et Fox identifient ce qui est important pour eux et ce qu'ils veulent transmettre à Fido pour qu'il soit heureux. Que de terrain à débroussailler pour redécouvrir l'essentiel ! Mais une fois qu'ils se sont concentrés sur le bien-être de leur fiston, rien ne peut plus les égarer. Et puisqu'ils sont parents pour la vie, ils auront à se concerter souvent.

Les solutions retenues sont expliquées à Fido, qui en jappe de satisfaction. Ses parents sont devenus les chiens de garde de son bonheur et ils y veilleront tous les deux sans trop montrer les crocs.

Après quelques semaines de ce nouveau régime, Fox et Dorée réalisent avec satisfaction qu'un chiot peut très bien s'adapter à des différences mineures, mais qu'il risque de ne pas retomber sur ses pattes si on lui impose des trajectoires à quatorze années-lumière d'écart.

Vivre dans deux niches sans avoir une vie de chien, ça prend plus de jugeote que de parlote, car les chiots sont très fidèles à leurs modèles.

Pistes de réflexion pour les adultes

- Quelles sont les différences parentales entre le père ou la mère de mon enfant et moi ? Avec lesquelles puis-je composer plus facilement ?
- Y a-t-il des valeurs fondamentales et des règles au sujet desquelles je ne veux faire aucun compromis ? Est-ce que je crois sincèrement que cette position sert le meilleur intérêt de mon enfant ?
- Quelles sont les différences de fonctionnement dont l'écart devrait être diminué pour faciliter la vie de mon enfant ?

Pistes d'échanges avec les jeunes

- Est-ce que tes parents sont très différents l'un de l'autre, à l'image de Dorée et de Fox ?
- Quels sont les aspects que tu apprécies le plus chez ta mère ? Chez ton père ? Le savent-ils ?
- T'arrive-t-il de comparer ce qui se passe chez tes deux parents et de leur en parler ? Comment réagissent-ils ?
- Y a-t-il des différences de fonctionnement qui te causent des problèmes ? En as-tu déjà parlé ?
- Si tu avais des enfants, quelles règles voudrais-tu leur imposer ? Lesquelles voudrais-tu ne pas leur imposer ? Pourquoi ?

Notes

1. Tiré de Helen EXLEY. *Et doucement vient la sagesse. Un livre cadeau.* Bierges (Belgique), Éditions Exley, 2001.
2. Je parle des ententes faites au Québec entre les parents qui n'ont pas eu recours à la médiation familiale, où le calcul de la contribution de chaque parent est prévu en fonction des revenus de chacun, soit selon le barème québécois de 1997. Il arrive aussi que ce calcul soit mis de côté par les parents sous divers prétextes, tel que nous le verrons dans ce chapitre.
3. Marie-Claude VALLEJO et Anne LAMY. *Résidence alternée, on arrête ou on continue?* Paris, Éditions Albin Michel, 2010, p. 36.
4. La responsabilité financière des enfants repose sur les deux parents et non sur les nouveaux conjoints. Certaines mesures sociales, du moins au Québec, tiennent toutefois compte de la présence ou non de conjoint lorsqu'il y a cohabitation depuis plus d'un an ou naissance d'un enfant de cette union, comme pour le calcul des prestations pour enfants.
5. Stéphane DITCHEV. *Médiation familiale: regards croisés et perspectives.* Toulouse, Éditions Érès, 1997, p. 89. (Voir aussi Parents Forever International, regroupement d'associations de parents ayant soutenu la reconnaissance de la médiation familiale)
6. Voir « Règles éducatives de base » dans la boîte à outils du chapitre 2.
7. Voir: www.agendaparental.com, mentionné préalablement.
8. Isabelle CÔTÉ, Louis-François DALLAIRE et Jean-François VÉZINA. *Tempête dans la famille*, Montréal, Éditions du CHU Sainte-Justine, 2e édition, 2010, p. 36-38.
9. Sans être « sexiste » puisque cette habileté est de moins en moins l'apanage exclusif des mères, il n'en demeure pas moins que la tâche de préparer les repas peut devenir épuisante et que certains sites Web peuvent donner un coup de pouce à tout parent en manque de temps.
10. J'ai écrit avec ma consœur Josée TREMBLAY, travailleuse sociale, des contes à ce sujet dont « Le petit capitaine » dans *Contes à l'usage des parents et autres adultes soucieux du bonheur des enfants.* Montréal, Éditions du CRAM, 2002.
11. Marie-Claude VALLEJO et Anne LAMY, *Op. cit.* p. 54.
12. Expression empruntée à Diane DRORY, psychanalyste belge. Voir son livre *La famille idéale...ment.* Bruxelles, Éditions Soliflor, 2008.
13. Johanne LEMIEUX, travailleuse sociale, formatrice sur les thèmes reliés à l'adoption et coauteure de *L'enfant adopté dans le monde.* Montréal, Éditions de l'Hôpital Sainte-Justine, 2003.
14. Marie-Claude VALLEJO et Anne LAMY, *Op. cit.* p. 97.
15. *Idem*, p. 110.
16. Diane DRORY, *Op. cit.*, p. 193.
17. Voir la section « Maintenir ou rétablir le pont de la communication », au chapitre 2.
18. Voir « Renardeau l'agent-double » dans *Contes à l'usage des parents et autres adultes soucieux du bonheur de l'enfant, Op. cit.*, p. 131-134.
19. Voir « Le beau château » dans *Contes à l'usage des parents et autres adultes soucieux du bonheur des enfants, Op. cit.*, p. 125-130.

20. Oscar D'AMOURS, juge émérite, Chambre de la Jeunesse, Cour du Québec. Colloque conjoint FAJEF/AIFI « Les nouvelles tendances en justice familiale », Ottawa, 22 et 23 octobre 2010. Après avoir constaté les dégâts des conflits parentaux sur les enfants, Marc JUSTON, juge aux Affaires familiales depuis 30 ans, président du tribunal de Tarascon en France, parle pour sa part du rôle d'apaisement, de pacificateur que doit avoir le magistrat. « Plénière sur la garde partagée » lors du même colloque.
21. Juge Odille FABRE DEVILLERS, juge aux Affaires familiales, Tribunal de Versailles, dans « J'ai deux maisons », documentaire d'Olivier BORDERIE.
22. Voir « Sallie et le contrepoison » dans *Contes à l'usage des parents et autres adultes soucieux du bonheur des enfants. Op. cit.* p. 137.
23. Francine CYR. « Débat sur la garde partagée : vers une position plus nuancée dans le meilleur intérêt de l'enfant ». *Santé mentale au Québec* 2008 33 (1) : 235-251.
24. Loi 125 modifiée en juillet 2007.
25. Annie DEVAULT est docteure en psychologie et membre du projet de soutien à l'engagement paternel (ProsPère) du GRAVE-ARDEC (Groupe de recherche-action sur la victimisation des enfants – Alliance de recherche pour le développement des enfants dans leur communauté).
26. Judith S. WALLERSTEIN. « The Unexpected Legacy of Divorce » citée par M. TÉTRAULT dans *Droit de la famille*. Cowansville (Qué), 2e édition, Éditions Yvon Blais, 2003, p. 946.
27. Cité par André MAGNY et France FOUQUETTE. « La garde partagée : un mode de vie innovateur », *Savoir Outaouais* 2007 7 (1) : pp.10-15.
28. Denyse CÔTÉ constate, dans une recherche exploratoire (2004) auprès de 20 femmes résidant en centre d'hébergement et de 10 intervenantes, que la majorité des femmes interviewées continuaient de vivre des abus de la part de leur partenaire après un jugement de garde partagée pour les enfants prononcé par la Cour. Voir le document de D. CÔTÉ et F. DUPUIS, *Garde partagée et violence conjugale : un bon mariage ?* sur le Web. www.oregand.ca/veille/gardepartagee.html
29. Me Michel TÉTRAULT, lui-même procureur à la Chambre de la famille, a écrit plusieurs articles sur la garde partagée et souligné les embûches dans les situations de haut conflit.
30. Élisabeth GODBOUT, « Les trajectoires des adultes ayant fait l'expérience de l'aliénation parentale... ». Colloque FAJEF/AIFI, Ottawa, 22 octobre 2010.
31. Louise SILVERSTEIN, chercheuse américaine.
32. Élisabeth GODBOUT, *Op. cit.*
33. Voir la section « Le plus grand défi pour les parents séparés » au chapitre 3.
34. On parle de « blessure narcissique ».
35. M. SOUQUET et C. BENKEMOUN. « La médiation familiale : un accompagnement de choix pour la mise en place d'une résidence en alternance ». *Revue scientifique de l'Association internationale francophone des intervenants auprès des familles séparées* 2007 1 (1) : p. 102. Voir également Marc JUSTON, juge aux Affaires familiales, Tarascon, France, au Colloque FAJEF/AIFI Ottawa, 23 octobre 2010.

36. RINFRET-RAYNOR et coll., 2008, cité par L. POUPART L. et M. DUBÉ. *Étude exploratoire des jugements relatifs à la garde d'enfants, rendus par la Cour supérieure, Chambre civile et familiale, en contexte de violence conjugale.* ARUC, CRI-VIFF 2008-2009.

37. Me Nathalie MASSAGER dit que « Actuellement, il arrive que les divorces soient plaidés devant 8 juges différents. Pour autant, bien sûr, que l'on ait les moyens financiers pour se lancer dans de telles procédures » dans *LeVif/L'Express* du 31 août 2007.

38. Rapport de la Consultation fédérale/provinciale/territoriale sur la garde, le droit de visite et les pensions alimentaires pour enfants – Québec, 2001, p. 33.

39. Tiré de C. GUILMAINE, en collaboration avec Josée TREMBLAY, *Contes à l'usage des parents et autres adultes soucieux du bonheur des enfants.* Montréal, Éditions du CRAM, 2002.

CONCLUSION

Sans conclure trop rapidement…

L'impossible, nous ne l'atteignons pas,
mais il nous sert de lanterne.
René Char[1]

À 10 ans, mon fils Mathieu disait, en parlant de la garde partagée: « C'est le mieux qui peut nous arriver dans le pire! » Sa sœur Ève-Marie, qui avait alors 7 ans, me confiait du même souffle: « Toi, tu es triste parce que tu as perdu papa, mais nous… on n'a perdu ni l'un ni l'autre. » Voilà une double consolation pour un parent!

Ici comme ailleurs, la résidence alternée a plusieurs visages, tout comme la famille et la rupture… On ne saurait la réduire à une seule réalité. Elle ne peut, à elle seule, expliquer toutes les difficultés rattachées à la réorganisation de la famille, pas plus que de remédier à ces mêmes difficultés. Bien qu'elle ne soit pas une solution miracle, cette façon de partager le temps, et surtout, les responsabilités parentales après la rupture est porteuse de bien des promesses et constitue déjà un pas de géant vers la reconnaissance de l'importance que vous avez tous les deux, en tant que parents, dans toutes les phases de la vie de votre enfant.

La clé de voûte de ce modèle de plan parental est la coparentalité, avec tout ce que cela représente de défi pour vous, qui vous séparez. Le phare qui vous guidera sera de continuer d'aimer votre enfant ensemble et de faire équipe pour qu'il soit heureux et se développe le plus sainement possible ! Il n'a évidemment pas choisi cette rupture et il lui serait plus facile de grandir en vous ayant tous les jours auprès de lui sous le même toit. Mais comme cette vie n'est plus possible, il faut lui en organiser une autre… et qu'elle soit belle !

L'histoire de la résidence alternée est encore en train de s'écrire[2]. Pourtant, les bilans qui se font actuellement au Québec, en Europe et ailleurs font ressortir l'importance du « sur mesure » conçu en fonction de l'âge et des besoins de l'enfant, mais aussi de tout le contexte de vie des adultes et des jeunes. On peut ainsi tenir compte des particularités des petits et des préférences des plus vieux. Garder l'enfant au cœur du plan parental, se respecter mutuellement, composer avec les différences parentales et maintenir ou rétablir le pont de la communication constituent des balises de choix pour arriver à bon port. Et il ne faut pas craindre de réévaluer ce plan parental pour l'ajuster au fil du temps et des changements.

Nous souhaitons tous le bonheur de nos enfants… Même quand la résidence alternée n'est pas ou n'est plus possible, il reste l'essentiel : l'amour que nous leur portons. Il faut se rappeler qu'il y a plusieurs façons d'actualiser la coparentalité, car l'engagement parental ne se mesure pas avec un logiciel ou un calcul rigide des jours et des « dodos » en vue d'arriver à une égalité.

De plus en plus d'exemples nous le démontrent : il est possible de passer du couple parental à l'équipe parentale sans nécessairement être de grands amis et en intégrant l'arrivée de nouveaux partenaires. Il est également réaliste de croire qu'on peut partager sans se déchirer et sans nécessairement « couper la poire en deux ». Il importe surtout que l'enfant ne vive pas dans deux univers étanches où il aurait l'impression d'être lui-même coupé en deux. Vous pouvez, comme parents, élaborer « une stratégie » à partir de ce qui était en place du temps de la vie commune et faire évoluer votre plan du connu vers l'inconnu. Peut-être profiterez-vous de services professionnels pour vous guider et désamorcer quelques « bombes » laissées sur le terrain conjugal ? Peut-être ferez-vous appel à de l'aide personnelle pour compléter ce travail de déminage ? Ces démarches peuvent s'avérer très bénéfiques pour éviter de reproduire des situations douloureuses et, par la même occasion, pour mieux protéger votre enfant de tous les rôles périlleux qui peuvent lui être attribués.

Et s'il reste quelques embûches en cours de route, vous saurez les surmonter si votre enfant est plus important que la garde partagée !

Du fond du cœur, je vous souhaite : « bonne route » !

Notes

1. Tiré de « Ose devenir qui tu es ». Paroles recueillies par Michel Piquemal, *Paroles d'espoir.* Éditions Albin Michel, 1996.
2. M.-C. Vallejo et A. Lamy. *Résidence alternée, on arrête ou on continue ? Op. cit.* p. 127. Voir aussi la proposition de loi du 7 juillet 2011 en Belgique pour faire en sorte que si le juge estime qu'un hébergement égalitaire n'est pas la solution la plus appropriée, il puisse imposer un hébergement non égalitaire. Voir également la présentation d'Anne Desmarets, directrice adjointe auprès du Secrétaire d'État à la Politique des Familles Melchior Wathelet, Belgique – Étude sociologique portant sur l'évaluation de la Loi de 2006 tendant à privilégier l'hébergement égalitaire, Colloque FAJEF/AIFI, Ottawa, octobre 2010.

BIBLIOGRAPHIE

BABU, A., I. BILLETTA, P. BONNOURE-AUFIÈRE, M. DAVID-JOUGNEAU, *et al.* *Médiation familiale: regards croisés et perspectives.* Toulouse: Éditions Érès, 1997.

BAFFERT, Sigrid. *C'est toujours mieux là-bas.* Paris : Éditions de La Martinière Jeunesse, 2004.

BAUSERMAN, Robert. « Child adjustment in joint-custody versus sole-custody arrangements : a meta-analytic review ». *Journal of Family Psychology* 2002 16 (1) : 91-102.

BENJAMIN, M. et Howard H. IRVING. « Comparison of the experience of satisfied and dissatisfied shared parents ». *Journal of Divorce and Remarriage* 1990 14 (1) : 43-61.

BERGER, Maurice. *La résidence alternée, une loi pour les adultes ?* 2005 - Disponible sur le Web : http://sisyphe.org/article.php3?id_article=1466

BERGER, Maurice. « On n'est pas prêt d'en finir ». *Santé mentale au Québec* 2008 33 (1) : 191-195.

BÉRUBÉ, Linda. *Rompre sans tout casser.* Montréal : Éditions de l'Homme, 2001.

BIRENGEN, Z., J. GREVE-SPEES *et al.* « Commentary on Warshak's "Blanket restrictions" : overnights contact between parents and young children ». *Family Court Review* 2002 : 40 (2) : 204-207.

CADOLLE, Sylvie. *Deux maisons pour grandir ? Se séparer quand on a des enfants.* Alleur : Marabout, 2004.

CASTELAIN-MEUNIER, Christine. « Métamorphoses et fractures socioculturelles dans les représentations que les hommes ont d'eux-mêmes ». *L'Observatoire* 2007 (53) et aussi dans *Des hommes et du masculin. Études et travaux de l'école doctorale TESC* (6) 11-18.

CHISHOLM, Richard. « Making it work : The Family Law Amendement (Shared Parental Responsibility, Act 2006) ». *Australian Journal of Family Law* 2007 21 (2) : 143-172.

CLOUTIER, Richard, Lorraine FILION et Harry TIMMERMANS. *Les parents se séparent… pour mieux vivre la crise et aider son enfant.* Montréal : Éditions de l'Hôpital Sainte-Justine, 2001.

CLOUTIER, Richard. « La garde partagée, où en sommes-nous ? », dans *Développements récents en garde partagée*, Service de Formation continue du Barreau du Québec, 2006.

CLOUTIER, Richard. « La famille séparée demeure la famille de l'enfant ». *Santé mentale au Québec* 2008 33 (1) : 197-202.

CLOUTIER, Richard. *Les vulnérabilités masculines - Une approche biopsychosociale.* Montréal : Éditions de l'Hôpital Sainte-Justine, 2004.

CORNEAU, Guy. *Père manquant, fils manqué.* Montréal : Éditions de l'Homme, 1989.

CÔTÉ, Denyse. *La garde partagée: l'équité en question*. Montréal: Éditions du remue-ménage, 2000.

CÔTÉ, Denyse. « La garde physique des enfants: nouvelles solidarités sociales ou renouveau patriarcal? ». *Nouvelles questions féministes* 2004 23 (3): 80-95.

CÔTÉ, Denyse. « La garde partagée n'est pas une panacée ». *Actualités* du 2 septembre 2006 – Disponible sur le Web: www.oregand.ca/denysecote/2006/09/la_garde_partag.html

CÔTÉ, Isabelle, Louis-François DALLAIRE et Jean-François VÉZINA. *Tempête dans la famille: les enfants et la violence conjugale*. 2e éd. Montréal: Éditions du CHU Sainte-Justine, 2010.

CYR, Francine. « Pour en finir avec cette polémique sur la garde partagée: un dialogue s'impose entre les chercheurs et les cliniciens », dans *Développements récents en garde partagée*. Québec: Service de formation continue du Barreau du Québec, 2006.

CYR, Francine. « Pour en finir avec cette polémique autour de la garde physique partagée principalement pour les enfants de moins de six ans ». *Santé mentale au Québec* 2008 33 (1): 185-190.

CYR, Francine. « Débat sur la garde partagée: vers une position plus nuancée dans le meilleur intérêt de l'enfant ». *Santé mentale au Québec* 2008 33 (1): 235-251.

CYRULNIK, Boris. *Les vilains petits canards*. Paris: Éditions Odile Jacob, 2001.

D'AMOURS, Oscar. *Les nouvelles tendances en justice familiale*. Texte présenté au Colloque FAJEF/AIFI, Ottawa, 22 et 23 octobre 2010.

DANDOY, Nathalie et Florence REUSENS. « L'hébergement alterné à l'épreuve de la pratique judiciaire: quatre arrondissements francophones sous la loupe ». *Revue scientifique de l'Association internationale francophone des intervenants auprès des familles séparées* 2007 1 (1): 5-79.

DELAGRAVE, Michel. *Ados, mode d'emploi*. Montréal: Éditions du CHU Sainte-Justine, 2005.

DESCAMPS, Manoëlle. « De l'autorité parentale conjointe à l'hébergement alterné ». *La Libre Belgique*, 15-16 mai 2004.

DESLAURIERS, Jean-Marie, Gilles TREMBLAY, Sacha GENEST DUFAULT, Daniel BLANCHETTE et Jean-Yves DESGAGNÉS. *Regards sur les hommes et les masculinités*. Sainte-Foy: Éditions des Presses de l'Université Laval, 2010.

DESMARETS, Anne. *Résultats d'une étude sociologique portant sur l'évaluation de la loi belge instaurant l'hébergement égalitaire dans le cadre d'un divorce ou d'une séparation*, Plénière sur la garde partagée, Colloque conjoint FAJEF/AIFI, Ottawa, 23 octobre 2010.

DOLTO, Françoise. *Quand les parents se séparent*. Paris: Seuil, 1988.

DRORY, Diane. *La famille idéale...ment*. Bruxelles: Éditions Soliflor, 2008.

DUBEAU, D., G. TURCOTTE et S. COUTU. « L'intégration des pères dans les pratiques d'intervention auprès des jeunes enfants et de leur famille ». *Revue canadienne de psycho-éducation* 1999 28 (2): 265-278.

DUGGAN, W. Dennis. « Rock-paper-scissors: playing the law of child relocation ». *Family Court Review* 2007 45 (2): 193-213.

EATON, Leslie. « Divorced parents move, and custody gets trickier ». *New York Times* 2004 August 8 th - Disponible sur le Web: www.nytimes.com/2004/08/08/nyregion/divorced-parents-move-and-custody-gets-trickier.html

EHRENSAFT, Diane. *Parenting Together: Men and Women Sharing the Care of Their Children.* Urbana: University of Illinois Press, 1990.

ELKIN, Meyer. « Joint custody: affirming that parents and families are forever ». *Social Work* 1987 32 (1): 18-24.

EXLEY, Helen. *Et doucement vient la sagesse: Un livre-cadeau.* Bierges (Belgique): Éditions Exley, 2001.

FEINBERG, Mark E. et Marni L. KAN. « Establishing family foundations: Intervention effects on coparenting ». *Journal of Family Psychology* 2008 22 (2): 253-263.

GAUDET, J. et Annie DEVAULT. « Comment intervenir auprès des pères?: le point de vue des intervenants psychosociaux ». *Intervention* 2001 (114): 44-52.

GAUTHIER, Yvon. « Les enfants sont-ils les cobayes de la présomption du Tribunal en faveur de la garde partagée? ». *Santé mentale au Québec* 2008 33 (1): 203-208.

GHITTI, Jean-Marc. « Une habitation: deux résidences ». *Revue scientifique de l'Association internationale francophone des intervenants auprès des familles séparées* 2007 1 (1): 81-91.

GOLD, L. *Between Love and Hate: A Guide to a Civilized Divorce.* New-York: Plenum Press, 1992.

GODBOUT, Élisabeth. *Les trajectoires des adultes ayant fait l'expérience de l'aliénation parentale et le rôle du juge dans la recherche de solutions.* Texte présenté au Colloque FAJEF/AIFI, Ottawa, 22 octobre 2010.

GODBOUT, Élisabeth. *Les trajectoires des adultes ayant fait l'expérience de l'aliénation parentale: étude de six témoignages.* Résultats d'une recherche dans le cadre d'une maîtrise en Service Social à l'Université Laval, sous la direction de Claudine Parent, 2010.

GROSS, Martine et Thomas GOMART. *Fonder une famille homoparentale.* Paris: Éd. Ramsay, 2005.

GUEDENEY, A., C. FOUCAULT, E. BOUGEN, B. LARROQUE et F. MENTRÉ. « Screening for risk factors of relational withdrawal behaviour in infants aged 14-18 months ». *European Psychiatry* 2008 23 (2): 150-155.

GUIGE, Arnaud. *À dans quinze jours.* Paris: Bayard, 2000.

GUILMAINE, Claudette. *Programme d'intervention pour enfants de parents séparés.* CLSC SOC, juin 1990. [édition épuisée]

GUILMAINE, Claudette. *La garde partagée, un heureux compromis.* Montréal: Éditions Stanké, 1991.

GUILMAINE, Claudette. « Un petit vertige face à la popularité de la "garde partagée" ». *Accalmie - Bulletin de l'Association de médiation familiale du Québec* 1999 6 (1).

GUILMAINE, Claudette et Josée TREMBLAY. *Contes à l'usage des parents et autres adultes soucieux du bonheur des enfants.* Montréal: Éditions du CRAM, 2002.

GUILMAINE, Claudette. *Vivre une garde partagée, une histoire d'engagement parental.* Montréal: Éditions du CRAM et Éditions du CHU Sainte-Justine, 2009.

HAHN, Christopher P. « Long term joint physical custody: distinguishing characteristics of the parents ». *Dissertation Abstracts International, Section A - Humanities and Social Sciences* 2007 67 (9-A): 3608.

HARTSON, John N. « The golden rules of coparenting ». *Family Advocate* 2007 30 (1): 32-33.

HAYEZ, Jean-Yves. « Le devenir des enfants après la séparation des parents. Garde alternée et autorité parentale conjointe. Une décision délicate à prendre cas par cas ». *Observatoire citoyen* août 2004 – Disponible sur le web : www.observatoirecitoyen.be/article.php3?id_article=90

HAYEZ, Jean-Yves. *L'hébergement alterné. Réactions de J.-Y. Hayez au texte de Mme Cyr : Pour en finir avec cette polémique…* – Disponible sur le Web : www.jeanyveshayez.net/t06-scyr.htm

HAYEZ, Jean-Yves. « Hébergement alterné : seul garant du bien de l'enfant ? ». *Santé mentale au Québec* 2008 33 (1) : 209-215.

HAYEZ, Jean-Yves et Philippe KINOO. « À propos de l'hébergement alterné ». *Acta Psychiatrica Belgica* 2006 106 (1) : 33-38.

HUANG, C.H., W.J. HAN et I. GARFINKEL. « Child support enforcement, joint legal custody, and parental involvement ». *Social Service Review* 2003 77 (2) : 255-278.

IRVING, Howard H. et Michael BENJAMIN. *Family Mediation : Theory and Practice of Dispute Resolution.* Toronto : Carswell, 1987.

JUBY, Heather, Nicole MARCIL-GRATTON et Céline LE BOURDAIS. *Quand les parents se séparent : nouveaux résultats de l'Enquête longitudinale nationale sur les enfants et les jeunes* (ELNEJ). Institut national de la recherche scientifique, Université de Montréal, présenté au ministère de la justice du Canada, 2005.

JULIEN, Gilles. *Aide-moi à te parler ! La communication parent-enfant.* Montréal : Éditions de l'Hôpital Sainte-Justine, 2004.

JUSTON, Marc. *Plénière sur la garde partagée.* Colloque conjoin FAJEF/AIFI, Ottawa, 23 octobre 2010.

KELLY, Joan B. *Long Term Adjustment in Children of Divorce : Converging Findings and Implications for Practice.* Revised version of an Invited Address au colloque de l'American Psychological Association, New-York, 1984.

KELLY, Joan B. et Michael E. LAMB. « Using child development research to make appropriate custody and access decisions for young children ». *Family and Conciliation Courts Review* 2000 38 (3) : 297-311.

LACHARITÉ, Carl. « Formule de garde suite à une séparation parentale et discours social sur l'enfant et la famille ». *Santé mentale au Québec* 2008 33 (1) : 217-222.

LAMBIN, Michèle. *Aider à prévenir le suicide chez les jeunes.* 2e éd. Montréal : Éditions du CHU Sainte-Justine, 2010.

LAMONTAGNE, Paule. « L'apport de la psychologie à la garde partagée – esquisse ». *Revue scientifique de l'Association internationale francophone des intervenants auprès des familles séparées* 2007 1 (1) : 93-99.

LAPORTE, Danielle. *Être parent, une affaire de cœur.* Montréal : Éditions de l'Hôpital Sainte-Justine, 2005.

LAROUCHE, Gisèle. *Du nouvel amour à la famille recomposée.* Montréal : Éditions de l'Homme, 2001.

LEDUC, Claire. *Comment transmettre des valeurs essentielles à nos enfants.* Montréal : Éditions Publistar, 1998. – Voir aussi les sites : www.parententraîneur.com et www.petitmonde.com

LESSARD, Geneviève, Marie-Claude BEAULIEU, Dominique DAMANT, Rhéa DELISLE, Marie-France GODIN, Lorraine JUNEAU, France PARADIS, Linda ROQUE, Pierre TURCOTTE et Jean-François VÉZINA. *Résolution des controverses sur la garde des enfants dans le cas de concomitance de violence conjugale et de mauvais traitements : recherche-action orientée vers la concertation.* FQRSC 2005-2008.

LESSARD, Geneviève. *La garde des enfants exposés à la violence conjugale et victimes de mauvais traitements : controverses et points de convergence entre les groupes d'intervenants psychosociaux concernés* - CRI-VIFF, #16, mars 2009 – Disponible sur le Web : www.criviff.qc.ca/publications2.asp?id=5

LEVY, David L. « Some critical issues in custody ». *American Journal of Family Law* 2007 21 (3) : 57-58.

LEVY, David L. « Shared parenting is better than sole custody ». *Policy and Practice of Public Human Services* 2008 66 (2) : 26.

MALBOEUF, Marie-Claude. « Trop de garde partagée ou pas assez ? » *Cyberpresse.ca* 13 mai 2005.

MAGNY, André et France FOUQUETTE. « La garde partagée : un mode de vie innovateur ». *Savoir Outaouais - Le Magazine de l'Université du Québec en Outaouais* 2007 : 7 (1) – [Interview de Denyse Côté, Annie Devault et Jean Gervais].

MASSAGER, Nathalie et Carine DE BUCK. *Être parents et se séparer.* Bruxelles : De Boeck, 2007.

MASSAGER, Nathalie et Carine DE BUCK. « Mais qui va garder les enfants ? ». *Le Vif/L'Express* 31 août 2007.

MCINNES, Elspeth. « The attitudes of separated resident mothers in Australia to children spending time with their fathers ». *Australian Journal of Family Law* 2007 21 (1) : 20-36.

MCINTOSH, Jennifer et Richard CHILHOLM. « Cautionary notes on the shared care of children in conflicted parental separation ». *Journal of Family Studies* 2008 14 (1) : 37-52.

NADAUD, Stéphane. *Homoparentalité.* Paris : Fayard, 2002.

NANCY, Dominique. « La garde partagée peut être plus néfaste que le divorce... mais ce n'est pas tant le type de garde que le climat entre les parents après un divorce qui joue un rôle dans l'adaptation de l'enfant - Interview de Francine Cyr ». *Forum, Université de Montréal* 2000, 35 (11) : p. 1-2,

NEUFELD, Gordon et Gabor MATÉ. *Retrouver son rôle de parent.* Montréal : Éditions de l'Homme, 2005.

NEYRAND, Gérard. *L'enfant face à la séparation des parents - Une solution, la résidence alternée.* Paris : Éditions Syros, 1994.

OTIS, Rodrigue et Nathalie BÉRARD. *La prise de décision concernant la garde d'enfants dans un contexte de séparation, synthèse des écrits scientifiques.* Eastman (Québec) : Éd. Behaviora, 2000.

PAQUETTE, Daniel. « L'enfant a tout autant besoin de son père que de sa mère, mais pour des raisons différentes ! ». *Santé mentale au Québec* 2008 33 (1) : 223-227.

PARENT, Claudine, Sylvie DRAPEAU, Michèle BROUSSEAU et Ève POULIOT (sous la direction de). *Visages multiples de la parentalité.* Québec : Presses de l'Université du Québec, 2008.

PARKINSON, Lisa. *Conciliation in Separation and Divorce.* London : Croom Helm, 1986.

PARKINSON, Lisa. « A family systems approach to mediation with families in transition ». *Context Magazine for Family Therapy and Systemic Practice* October 2002.

PARKINSON, Lisa. « Child-inclusive family mediation ». *Family Law* 2006 36 : 483-488.

POUPART, Lise et Myriam DUBÉ. *Étude exploratoire des jugements relatifs à la garde d'enfants, rendus par la Cour supérieure, Chambre civile et familiale, en contexte de violence conjugale.* ARUC, CRI-VIFF, 2008-2009.

POUSSIN, Gérard. « La résidence alternée est-elle nocive pour les très jeunes enfants ? ». *Divorce et séparation* 2004 no 1.

POUSSIN, Gérard. « La résidence alternée : de loin la principale menace au bien-être des enfants de parents divorcés ». *Santé mentale au Québec* 2008 33 (1) : 229-236.

POUSSIN, Gérard et Anne LAMY. *Réussir la garde alternée : profiter des atouts, éviter les pièges.* Paris : Albin Michel, 2004.

PRUETT, M.K., R. EBLING et G. INSABELLA. « Critical aspects of parenting plans for young children. Interjecting data into the debate about overnights ». *Family Court Review* 2004 42 (1) : 39-59.

PRUETT, M.K., T.Y. WILLIAMS, G. INSABELLA et T.D. LITTLE. « Family and legal indicators of child adjustment to divorce among families with young children ». *Journal of Family Psychology* 2003 17 (2) : 169-180.

RICARD, Nathalie. *Maternités lesbiennes.* Montréal : Éditions du remue-ménage, 2005.

RICHER, Danielle. « Le législateur et les tribunaux québécois face à la garde partagée ». *Revue scientifique de l'Association internationale francophone des intervenants auprès des familles séparées* 2007 1 (1) : 199-204.

ROGERS, Dave. « Joint custody fails to reduce violence by ex-spouses, researcher says ». *Ottawa Citizen* 2006 September 25th.

ROSENBERG, Marshall B. *Les mots sont des fenêtres (ou des murs). Introduction à la communication non-violente.* Saint-Julien-en-Genevois : Éditions Jouvence, 1999.

RUFO, Marcel et Gérard POUSSIN. *Pour ou contre la garde partagée ? Débat sur le sujet entre le psychologue Gérard Poussin et le pédopsychiatre Marcel Rufo.* Janvier 2004. – Disponible sur le Web :
www.psychologies.com/Couple/Crises-Divorce/Articles/Pour-ou-contre-la-garde-alternee

SAINT-JACQUES, Marie-Christine et Claudine PARENT. *Une famille recomposée : une famille composée sur un air différent.* Montréal : Éditions de l'Hôpital Sainte-Justine, 2002.

SAINT-JACQUES, M.-C., R. LÉPINE et C. PARENT. « La naissance d'une famille recomposée : une analyse qualitative du discours d'adolescents et d'adolescentes ». *Revue canadienne de santé mentale communautaire* 2002 (4) : 89-107.

SAINT-JACQUES, M.-C., D. TURCOTTE, S. DRAPEAU et R. CLOUTIER. *Séparation, monoparentalité et recomposition familiale : bilan d'une réalité complexe et pistes d'action.* Sainte-Foy : Presses de l'Université Laval, 2004.

SAINT-JACQUES, M.-C., C. PARENT et S. DRAPEAU. *Conséquences, facteurs de risque et de protection pour les familles recomposées. Synthèse de la documentation.* Rapport final présenté à Nadine Bernier, Ressources humaines et Développement des compétences Canada, Direction de la recherche en politiques, 2009.

SAUCIER, Jean-François. « Introduction : débat sur la garde partagée (résidence alternée) ». *Santé mentale au Québec* 2008 33 (1) : 183-184.

SILVERSTEIN, Louise B. et Carl F. AUERBACH. « Continuing the dialogue about fathers and families ». *American Psychologist* 2000 55 (6) : 683-684.

SMYTH, Bruce et Lawrie MOLONEY. « Changes in patterns of post-separation parenting over time : A brief review ». *Journal of Family Studies* 2008 14 (1) : 7-22.

SOUQUET, Marianne et Corinne BENKEMOUN. « La médiation familiale : un accompagnement pour la mise en place d'une résidence en alternance ». *Revue scientifique de l'Association internationale francophone des intervenants auprès des familles séparées* 2007 1 (1) : 101-111.

STEINMAN, Suzan. « The experience of children in a joint custody arrangement : a report of study ». *American Journal of Orthopsychiatry* 1981 51 : 403-414.

STROOBANTS, Monique. « Au revoir Bruxelles... Bonjour Montréal... Un océan entre papa et maman, mais... j'ai deux parents ». *Revue scientifique de l'Association internationale francophone des intervenants auprès des familles séparées* 2007 1 (2) : 125-144.

TÉTRAULT, Michel. *La garde partagée et les tribunaux : une option ou la solution ?* Cowansville : Éd. Yvon Blais, 2006.

TÉTRAULT, Michel. « La garde partagée et les tribunaux : la charrue avant les bœufs ? ». *Revue scientifique de l'Association internationale francophone des intervenants auprès des familles séparées* 2007 1 (1) : 113-184.

TIMMERMANS, Harry. « La garde partagée : une organisation précieuse. Le concept de l'attachement et l'attribution de la garde de jeunes enfants après une rupture parentale ». *Revue scientifique de l'Association internationale francophone des intervenants auprès des familles séparées* 2007 1 (1) : 205-208.

VAILLANCOURT, Marie et Marie-Christine SAINT-JACQUES. « Grandir auprès de parents séparés en conflits persistants : des femmes racontent leur expérience de triangulation ». *Intervention* 2008 129 : 48-57.

VALLEJO, Marie-Claude et Anne LAMY. *Résidence alternée, on arrête ou on continue ?* Paris : Albin Michel, 2010.

VIDAL, Gilles A. « Le concept de l'attachement et l'attribution de la garde de jeunes enfants après une rupture parentale ». *Revue scientifique de l'Association internationale francophone des intervenants auprès des familles séparées* 2007 1 (1) : 185-194.

WALLERSTEIN, Judith S. et Julia LEWIS. « The long term impact of divorce on children : A first report from a 25-year study ». *Family and Conciliation Courts Review* 1998 36 (3) : 368-383.

WARSHAK, R.A. « Blanket restrictions overnight contact between parents and young children ». *Family and Conciliation Courts Review* 2000 38 (4) : 422-445.

ZAHOUCHE-GAUDRON, Chantale. *La problématique paternelle.* Toulouse : Éditions Erès, 2001.

Ressources

Pour connaître les organismes et les sites Web liés à la garde partagée (résidence alternée, hébergement égalitaire), vous pouvez consulter le site du Guide Info-famille du CHU Sainte-Justine:

www.chu-sainte-justine.org/cise

Suggestions de lecture pour les parents

BAFFERT, Sigrid. *C'est toujours mieux là-bas.* Paris: Éditions de La Martinière Jeunesse, 2004.

BÉRUBÉ, Linda. *Rompre sans tout casser.* Montréal: Éditions de l'Homme, 2001.

CADOLLE, Sylvie. *Deux maisons pour grandir? Se séparer quand on a des enfants.* Alleur: Marabout, 2004.

GERMAIN, Diane. *Une deuxième maison pour l'amour, l'histoire d'une famille recomposée.* Montréal: Éditions Libre Expression, 1989.

GUIGE, Arnaud. *À dans quinze jours.* Paris: Bayard, 2000.

GUILMAINE, Claudette et Josée TREMBLAY. *Contes à l'usage des parents et autres adultes soucieux du bonheur des enfants.* Montréal: Éditions du CRAM, 2002.

JULIEN, Gilles. *Aide-moi à te parler! La communication parent-enfant.* Montréal: Éditions de l'Hôpital Sainte-Justine, 2004.

LAPORTE, Danielle. *Être parent, une affaire de cœur.* Montréal: Éditions de l'Hôpital Sainte-Justine, 2005.

LAROUCHE, Gisèle. *Du nouvel amour à la famille recomposée.* Montréal: Éditions de l'Homme, 2001.

MASSAGER, Nathalie et Carine DE BUCK. *Être parents et se séparer.* Bruxelles: De Boeck, 2007.

NEUFELD, Gordon et Gabor MATÉ. *Retrouver son rôle de parent.* Montréal: Éditions de l'Homme, 2005.

POUSSIN, Gérard et Anne LAMY. *Réussir la garde alternée: profiter des atouts, éviter les pièges.* Paris: Albin Michel, 2004.

SAINT-JACQUES, Marie-Christine et Claudine PARENT. *Une famille recomposée : une famille composée sur un air différent.* Montréal : Éditions de l'Hôpital Sainte-Justine, 2002

VALLEJO, Marie-Claude et Anne LAMY. *Résidence alternée, on arrête ou on continue ?* Paris : Albin Michel, 2010.

Suggestions de lecture pour les enfants et les adolescents

AHLBERG, Allan. *Ma vie est un tourbillon.* Paris : Gallimard Jeunesse, 1998. 28 p. (5 ans +)

BAFFERT, Sigrid. *C'est toujours mieux là-bas.* Paris : De la Martinière Jeunesse, 2004. 171 p. (Confessions) (12 ans +)

BEAUCOURT, Cécile. *J'ai deux maisons.* Paris : Gautier-Languereau, 2006. 26 p. (4 ans +)

DANZIGER, Paula. *Lili Graffiti voit rouge.* Paris : Gallimard Jeunesse, 2003. 119 p. (Folio cadet) (8 ans +)

DELVAL, Marie-Hélène. *Les deux maisons de Petit-Blaireau.* Paris : Bayard, 2003. 29 p. (Les belles histoires) (5 ans +)

DE SAINT MARS, Dominique. *Simon a deux maisons.* Fribourg : Calligram, 2005. 45 p. (Max et Lili) (6 ans +)

DREYFUSS, Corinne. *Un week-end sur deux.* Paris : Thierry Magnier, 2005. 47 p. (Petite poche) (8 ans +)

HOMBERG, Bo R., *Le jour de papa.* Namur (Belgique) : Mijade, 2006. 26 p. (Les petits Mijade) (5 ans+)

LE PICARD, Clara. *Lucas et Maria ont deux maisons.* Paris : Albin Michel Jeunesse, 2005. 35 p. (5 ans +)

MASUREL, Claire. *Mes deux maisons.* Paris : Bayard, 2002. 24 p. (3 ans+)

RASCAL. *Ysoline. Comme un poisson dans l'eau.* Paris : Delcourt, 2006. 31 p. (12 ans +)

TEXIER, Ophélie. *Camille a deux familles.* Paris : École des Loisirs, 2004. 20 p. (Les petites familles) (2 ans +)

TIBO, Gilles. *Guillaume et la nuit.* Saint-Lambert (Québec) : Soulières, 2003. 44 p. (Ma petite vache a mal aux pattes) (6 ans +)

Ouvrages parus dans la même collection

Accompagner son enfant prématuré
De la naissance à cinq ans
Sylvie Louis
ISBN 978-2-89619-085-0 • 2007/216 p.

Ados : mode d'emploi
Michel Delagrave
ISBN 2-89619-016-3 • 2005/176 p.

L'agressivité chez l'enfant de 0 à 5 ans
Sylvie Bourcier
ISBN 978-2-89619-125-3 • 2008/220 p.

Aide-moi à te parler !
La communication parent-enfant
Gilles Julien
ISBN 2-922770-96-6 • 2004/144 p.

Aider à prévenir le suicide chez les jeunes • 2e édition
Michèle Lambin
ISBN 978-2-89619-196-3 • 2010/346 p.

L'allaitement maternel
2e édition
Comité pour la promotion de l'allaitement maternel de l'Hôpital Sainte-Justine
ISBN 2-922770-57-5 • 2002/104 p.

Apprivoiser l'hyperactivité et le déficit de l'attention
2e édition
Colette Sauvé
ISBN 978-2-89619-095-9 • 2007/132 p.

L'asthme chez l'enfant
Pour une prise en charge efficace
Sous la direction de Denis Bérubé, Sylvie Laporte et Robert L. Thivierge
ISBN 2-89619-057-0 • 2006/168 p.

L'attachement, un départ pour la vie
Gloria Jeliu, Gilles Fortin et Yvon Gauthier
ISBN 978-2-89619-145-1 • 2009/132 p.

Au-delà de la déficience physique ou intellectuelle
Un enfant à découvrir
Francine Ferland
ISBN 2-922770-09-5 • 2001/232 p.

Au fil des jours... après l'accouchement
L'équipe de périnatalité de l'Hôpital Sainte-Justine
ISBN 2-922770-18-4 • 2001/96 p.

Au retour de l'école...
La place des parents dans l'apprentissage scolaire
2e édition
Marie-Claude Béliveau
ISBN 2-922770-80-X • 2004/280 p.

Avant et après bébé
Exercices et conseils
Chantale Dumoulin
ISBN 978-2-89619-426-1 • 2011/232 p.

Choisir pour deux
L'alimentation de la femme enceinte
Renée Cyr
ISBN 978-289619-432-2 • 2011/144 p.

Comprendre et guider le jeune enfant
À la maison, à la garderie
Sylvie Bourcier
ISBN 2-922770-85-0 • 2004/168 p.

De la tétée à la cuillère
Bien nourrir mon enfant de 0 à 1 an
Linda Benabdesselam et autres
ISBN 2-922770-86-9 • 2004/144 p.

Le développement de l'enfant au quotidien
Du berceau à l'école primaire
Francine Ferland
ISBN 2-89619-002-3 • 2004/248 p.

Le diabète chez l'enfant et l'adolescent
Louis Geoffroy, Monique Gonthier et les autres membres de l'équipe de la Clinique du diabète de l'Hôpital Sainte-Justine
ISBN 2-922770-47-8 • 2003/368 p.

La discipline, un jeu d'enfant
Brigitte Racine
ISBN 978-2-89619-119-2 • 2008/136 p.

Drogues et adolescence
Réponses aux questions des parents - 2e édition
Étienne Gaudet
ISBN 978-2-89619-180-2 • 2009/136 p.

Dyslexie et autres maux d'école
Quand et comment intervenir
Marie-Claude Béliveau
ISBN 978-2-89619-121-5 • 2007/296 p.

Enfances blessées, sociétés appauvries
Drames d'enfants aux conséquences sérieuses
Gilles Julien
ISBN 2-89619-036-8 • 2005/256 p.

L'enfant adopté dans le monde
(en quinze chapitres et demi)
Jean-François Chicoine, Patricia Germain et Johanne Lemieux
ISBN 2-922770-56-7 • 2003/480 p.

L'enfant et les écrans
Sylvie Bourcier
ISBN 978-2-89619-253-3 • 2010/184 p.

L'enfant, l'adolescent et le sport de compétition
Sous la direction de Line Déziel
ISBN 978-2-89619-420-9 • 2010/200 p.

L'enfant malade
Répercussions et espoirs
Johanne Boivin, Sylvain Palardy et Geneviève Tellier
ISBN 2-921858-96-7 •2000/96 p.

L'enfant victime d'agression sexuelle
Comprendre et aider
Frédérique Saint-Pierre et Marie-France Viau
ISBN 978-2-89619-237-3 • 2010/232 p.

Enfin je dors...
et mes parents aussi
Evelyne Martello
ISBN 978-2-89619-082-9 • 2007/120 p.

L'épilepsie chez l'enfant et l'adolescent
Anne Lortie, Michel Vanasse et autres
ISBN 2-89619-070-8 • 2006/208 p.

L'estime de soi des adolescents
Germain Duclos, Danielle Laporte et Jacques Ross
ISBN 2-922770-42-7 • 2002/96 p.

L'estime de soi des 6-12 ans
Danielle Laporte et Lise Sévigny
ISBN 2-922770-44-3 • 2002/112 p.

L'estime de soi, un passeport pour la vie - 3e édition
Germain Duclos
ISBN 978-2-89619-254-0 • 2010/248 p.

Et si on jouait? Le jeu durant l'enfance et pour toute la vie - 2e édition
Francine Ferland
ISBN 2-89619-035-X • 2005/212 p.

Être parent, une affaire de cœur • 2e édition
Danielle Laporte
ISBN 2-89619-021-X • 2005/280 p.

Famille, qu'apportes-tu à l'enfant?
Michel Lemay
ISBN 2-922770-11-7 • 2001/216 p.

La famille recomposée Une famille composée sur un air différent
Marie-Christine Saint-Jacques et Claudine Parent
ISBN 2-922770-33-8 • 2002/144 p.

Favoriser l'estime de soi des 0-6 ans
Danielle Laporte
ISBN 2-922770-43-5 • 2002/112 p.

Le grand monde des petits de 0 à 5 ans
Sylvie Bourcier
ISBN 2-89619-063-5 • 2006/168 p.

Grands-parents aujourd'hui - Plaisirs et pièges
Francine Ferland
ISBN 2-922770-60-5 • 2003/152 p.

Guide Info-Famille Organismes-Livres-Sites Internet-DVD
Centre d'information du CHU Sainte-Justine
ISBN 978-2-89619-137-6 • 2008/600 p.

Guide pour parents inquiets Aimer sans se culpabiliser – 2e édition
Michel Maziade
ISBN 978-2-89619-255-7 • 2010/208 p.

Guider mon enfant dans sa vie scolaire - 2e édition
Germain Duclos
ISBN 2-89619-062-7 • 2006/280 p.

L'hydrocéphalie: grandir et vivre avec une dérivation
Nathalie Boëls
ISBN 2-89619-051-1 • 2006/112 p.

J'ai mal à l'école Troubles affectifs et difficultés scolaires
Marie-Claude Béliveau
ISBN 2-922770-46-X • 2002/168 p.

Jouer à bien manger Nourrir mon enfant de 1 à 2 ans
Danielle Regimbald, Linda Benabdesselam, Stéphanie Benoît et Micheline Poliquin
ISBN 2-89619-054-6 • 2006/160 p.

Jumeaux: mission possible!
Gisèle Séguin
ISBN 978-2-89619-156-7 • 2009/288 p.

Les maladies neuromusculaires chez l'enfant et l'adolescent
Sous la direction de Michel Vanasse, Hélène Paré, Yves Brousseau et Sylvie D'Arcy
ISBN 2-922770-88-5 • 2004/376 p.

Mieux vivre l'école... En 7 savoirs et quelques astuces
Marie-Claude Béliveau
ISBN 978-2-89619-256-4 • 2011/216 p.

Mon cerveau ne m'écoute pas
Comprendre et aider l'enfant dyspraxique
Sylvie Breton et France Léger
ISBN 978-2-89619-081-2 • 2007/192 p.

La motivation à l'école, un passeport pour l'avenir
Germain Duclos
ISBN 978-2-89619-235-9 • 2010/160 p.

Musique, musicothérapie et développement de l'enfant
Guylaine Vaillancourt
ISBN 2-89619-031-7 • 2005/184 p.

Le nanisme
Se faire une place au soleil dans un monde de grands
Nathalie Boëls
ISBN 978-2-89619-138-3 • 2008/184 p.

Parents d'ados
De la tolérance nécessaire à la nécessité d'intervenir
Céline Boisvert
ISBN 2-922770-69-9 • 2003/216 p.

Les parents se séparent...
Pour mieux vivre la crise et aider son enfant
Richard Cloutier, Lorraine Filion et Harry Timmermans
ISBN 2-922770-12-5 • 2001/164 p.

Pour parents débordés et en manque d'énergie
Francine Ferland
ISBN 2-89619-051-1 • 2006/136 p.

Prévenir l'obésité chez les enfants
Une question d'équilibre
Renée Cyr
ISBN 978-2-89619-147-5 • 2009/144 p.

Raconte-moi une histoire
Pourquoi? Laquelle? Comment?
Francine Ferland
ISBN 2-89619-116-1 • 2008/168 p.

Responsabiliser son enfant
Germain Duclos et Martin Duclos
ISBN 2-89619-00-3 • 2005/200 p.

Santé mentale et psychiatrie pour enfants
Des professionnels se présentent
Bernadette Côté et autres
ISBN 2-89619-022-8 • 2005/128 p.

La scoliose
Se préparer à la chirurgie
Julie Joncas et collaborateurs
ISBN 2-921858-85-1 • 2000/96 p.

Le séjour de mon enfant à l'hôpital
Isabelle Amyot, Anne-Claude Bernard-Bonnin, Isabelle Papineau
ISBN 2-922770-84-2 • 2004/120 p.

La sexualité de l'enfant expliquée aux parents
Frédérique Saint-Pierre et Marie-France Viau
ISBN 2-89619-069-4 • 2006/208 p.

Tempête dans la famille
Les enfants et la violence conjugale - 2e édition
Isabelle Côté, Louis-François Dallaire et Jean-François Vézina
ISBN 978-2-89619-428-5 • 2011/206 p.

Le trouble de déficit de l'attention avec ou sans hyperactivité
Stacey Bélanger, Michel Vanasse et coll.
ISBN 978-2-89619-136-9 • 2008/240 p.

Les troubles anxieux expliqués aux parents
Chantal Baron
ISBN 2-922770-25-7 • 2001/88 p.

Les troubles d'apprentissage : comprendre et intervenir
Denise Destrempes-Marquez et Louise Lafleur
ISBN 2-921858-66-5 • 1999/128 p.

Votre enfant et les médicaments : informations et conseils
Catherine Dehaut, Annie Lavoie, Denis Lebel, Hélène Roy et Roxane Therrien
ISBN 2-89619-017-1 • 2005/332 p.

Imprimé au Canada par
Transcontinental Gagné